PICKWICK

SUE TOWNSEND

IL DIARIO SEGRETO DI ADRIAN MOLE

Traduzione di Carlo Brera

Sperling & Kupfer

L'editore non è riuscito a reperire gli eredi del traduttore aventi diritto ma si rende disponibile ad assolvere eventuali spettanze.

www.pickwicklibri.it
www.sperling.it

Il diario segreto di Adrian Mole
Titolo originale dell'opera:
The Secret Diary of Adrian Mole Aged 13 and 3/4
Copyright © Sue Townsend, 1982
© Frassinelli 1984
© 1991, 1998, 2003 Sperling & Kupfer Editori S.p.A.
© 2020 Mondadori Libri S.p.A, Milano

ISBN 978-88-5544-002-8

I edizione Pickwick febbraio 2020

Anno 2020-2021-2022 - Edizione 1 2 3 4 5 6 7 8 9 10

A Colin
e a Sean, Dan, Vicki ed Elizabeth,
con amore e un ringraziamento.

«C'era qualcosa in Paul, qualcosa di sepolto e profondamente conficcato in lui, eppure chiacchierava tranquillamente con sua madre. Non le avrebbe mai confessato quanto soffriva di queste cose, e lei lo intuiva solo in parte.»

D.H. LAWRENCE, *Figli e amanti*

Giovedì 1° gennaio
Giornata festiva in Inghilterra, Irlanda, Scozia e Galles

Ecco i miei propositi per l'anno nuovo:

1. Aiutare i ciechi ad attraversare la strada
2. Piegare bene i pantaloni
3. Rimettere i dischi nella custodia
4. Non cominciare a fumare
5. Non schiacciarsi i brufoli
6. Trattare bene il cane
7. Aiutare i poveri e gli incolti
8. Dopo aver sentito i disgustosi bagordi dei vicini ieri sera, ho anche giurato di non bere mai alcol.

Ieri sera, al veglione di Capodanno, papà ha fatto ubriacare il cane con lo sherry. Se lo sa la Protezione Animali, sono cavoli suoi. A otto giorni da Natale la mamma non ha ancora messo il fantastico grembiule di lurex verde fosforescente che le ho regalato! L'anno prossimo si cuccherà dei sali da bagno!
Primo giorno dell'anno, primo brufolo sul mento. Cominciamo bene!

Venerdì 2 gennaio
Giornata festiva in Scozia. Luna piena

Sono a pezzi. Tutta colpa della mamma che stanotte, alle due, si è messa a imitare Frank Sinatra, cantando *My Way,* nel corridoio davanti alla porta di camera mia. Che culo avere una madre così! Comincio a credere che i miei siano alcolizzati. Come niente l'anno prossimo mi ritrovo al brefotrofio.

Il cane ha compiuto la sua vendetta: è saltato sulla credenza, ha abbattuto il veliero in miniatura di papà ed è scappato in giardino con l'albero maestro fra i denti. Papà non fa che ripetere, con aria torva: «Tre mesi di lavoro buttati nel cesso».

Il brufolo sul mento gode ottima salute. Tutta colpa della mamma, che non sa neanche che cosa siano le vitamine.

Sabato 3 gennaio

Se continuo a non dormire, credo che ne uscirò pazzo! Papà ha cacciato di casa il cane, che stanotte ha continuato ad abbaiare sotto la mia finestra. Che sfiga! Papà non si è lasciato sfuggire l'occasione e gliene ha urlate di tutti i colori; se non ci sta attento e la polizia lo denuncia per schiamazzi notturni, sono cavoli suoi.

Sento che il brufolo sta diventando una mongolfiera che naviga in piena faccia. Ho fatto notare alla mamma che anche oggi la mia dieta è stata assolutamente priva di vitamina C. «Vatti a comprare un'arancia», ha detto. Tipico. E non si è ancora messa il grembiule di lurex.

Meno male che tra un po' ricomincia la scuola.

Domenica 4 gennaio
Seconda dopo Natale

Papà è a letto con l'influenza. Non mi stupisce, con quello che ci tocca mangiare. La mamma è uscita, sotto la pioggia, per andare a comprargli dei succhi di frutta con la vitamina C, anche se, come le ho detto, ormai è troppo tardi. È un miracolo scampare allo scorbuto, in casa mia. La mamma dice che il brufolo non si vede neanche: la verità è che si sente in colpa, per via della dieta.

Siccome si è dimenticata di chiudere il cancello, il cane è scappato. Io, invece, ho rotto il braccio del giradischi. Non se n'è accorta anima viva, speriamo che papà resti a letto ancora un pezzo, perché è l'unico che lo adopera oltre a me. Nessuna traccia del grembiule.

Lunedì 5 gennaio

Il cane non è ancora tornato. Si sta più tranquilli senza di lui. La mamma lo aveva descritto per telefono alla polizia, e non è stata tanto lusinghiera: ciuffo spelacchiato sugli occhi eccetera. Io penso che la polizia abbia ben altro da fare che correre dietro ai cani, per esempio arrestare gli assassini: l'ho detto alla mamma, ma lei ha telefonato lo stesso. Se qualcuno l'ammazza perché la polizia stava cercando il cane, sono cavoli suoi.

Papà è sempre a letto a poltrire. Dice che è malato, però intanto fuma, me ne sono accorto.

Oggi è venuto a trovarmi Nigel. È abbronzato perché è stato in vacanza. Temo che avrà presto uno choc termico, visto il gelo che fa qui in Inghilterra. È stato un errore, da parte dei suoi, portarlo all'estero.

Comunque: lui non ha neanche un brufolo, almeno fino a questo momento.

Martedì 6 gennaio
Epifania. Luna nuova

Il cane è nei guai!

Ha fatto cadere dalla bici l'uomo che legge i contatori e ha combinato un gran casino con le bollette. Immagino che finiremo in tribunale. È venuto un poliziotto a dirci che dobbiamo tenerlo sotto controllo, e ci ha chiesto da quanto tempo zoppica. Non zoppica, ha detto la mamma, e ha guardato sotto la zampa: c'era conficcato un pirata del modellino della nave.

Il cane era molto contento di essersi liberato del pirata, ed è saltato al collo del poliziotto sporcandogli di fango la divisa. La mamma è volata in cucina a prendere uno straccio, ma ci avevo pulito il coltello dalla marmellata di mirtilli e l'uniforme si è sporcata ancora di più. Il poliziotto se ne è andato di corsa mormorando parole irripetibili, che abbiamo fatto finta di non sentire.

Cercherò la parola Epifania sul mio nuovo dizionario.

Mercoledì 7 gennaio

Nigel è venuto a trovarmi con la bici nuova. Ha la borraccia, il contachilometri, il tachimetro, la sella gialla e le ruote sottilissime, da corsa. È sprecata per lui, che la usa solo per arrivare fino al centro commerciale. Se ce l'avessi io, me ne andrei in giro per tutto il Paese e mi farei un'esperienza. Il superbrufolo ha raggiunto, spero, il massimo sviluppo. Temo violente esplosioni!

Ho trovato sul vocabolario una definizione perfetta per papà: «malato immaginario». È ancora a letto, a fumare e a sbafare vitamina C.

Il cane è al confino nella carbonaia.

«Epifania»: è qualcosa che ha a che fare con i re magi. Che cosa c'entrerà la Befana?

Giovedì 8 gennaio

Anche la mamma è a letto con l'influenza e io devo badare a tutti e due. Ci mancava!

È tutto il giorno che vado su e giù come uno yo-yo per la scala. Stasera ho preparato ai due vecchietti una cena con i fiocchi: uova in camicia con contorno di fagioli e semolino in scatola. Meno male che avevo messo il grembiule di lurex verde perché mentre cucinavo le uova me le sono versate addosso. Ho fatto fatica a trattenermi quando ho visto che non hanno mangiato niente: non è possibile che siano così ammalati! Ho passato la loro cena al cane, nella carbonaia. Siccome domani mattina viene la nonna, mi è toccato pulire i fondi carbonizzati delle padelle. Poi ho portato fuori il cane. Solo alle undici e mezzo ho rivisto il mio letto. Non c'è da stupirsi se sono un nano per la mia età.

Ho deciso: da grande non farò il medico.

Venerdì 9 gennaio

Hanno tossito tutta la notte. A turno. Ecco la considerazione in cui mi tengono, dopo la giornataccia di ieri.

È arrivata la nonna ed è rimasta sconvolta dallo stato della casa. Le ho fatto vedere la mia camera, che è sempre ben pulita e in ordine, e mi ha regalato mezza sterlina. Poi le ho mostrato tutte le bottiglie vuote nella pattumiera ed è rimasta disgustata.

La nonna ha fatto uscire il cane dalla carbonaia. Dice che la mamma è stata crudele a rinchiuderlo! Il cane ha rimesso sul pavimento della cucina. La nonna ha rimesso il cane nella carbonaia.

Mi ha schiacciato il brufolo sul mento: adesso si vede di più. Le ho detto del grembiule di lurex e lei mi ha raccontato che ogni Natale regala alla mamma un golfino alla moda, di acrilico al cento per cento, e non l'ha mai vista portarne uno.

Sabato 10 gennaio

Mattina. Adesso è il cane che sta male! Continua a vomitare e abbiamo chiamato il veterinario. Papà ha raccomandato di non dirgli che per due giorni abbiamo tenuto la belva nella carbonaia.

Mi sono messo un cerotto sul brufolo per non farci entrare i microbi del cane.

Il veterinario lo ha portato via. Dice che, secondo lui, ha un'occlusione e bisogna operarlo d'urgenza.

La nonna ha fatto una scenata alla mamma e poi se n'è andata via offesa. Ha trovato i golf di acrilico fatti a pezzi nel sacco degli stracci. Lo snobismo della mamma è riprovevole, se si pensa che al mondo c'è gente che muore di fame.

Il nostro vicino, il signor Lucas, è venuto a trovare i miei, che sono ancora a letto. Ha portato dei fiori per la mamma, lei si è seduta sul letto con la camicia da notte praticamente trasparente e si è messa a parlare con lui con una voce strana mentre mio padre fingeva di dormicchiare.

Nigel mi ha fatto sentire i suoi dischi: va matto per la musica punk, io no, perché non si capiscono le parole. Il punto, credo, è che sto diventando un intellettuale.

Pomeriggio. Sono andato a trovare il cane. Gli

hanno fatto l'operazione: il veterinario mi ha mostrato un sacchetto di plastica pieno di schifezze! Un pezzo di carbone, un rametto dell'albero di Natale, due candeline della torta e tutti gli altri pirati del veliero di papà. Uno di questi pirati aveva in mano una scimitarra, chissà che male, povero cane. Comunque, adesso ha un bell'aspetto; sta meglio e nel giro di un paio di giorni potrà tornare a casa. Che fregatura!

Quando sono rientrato, papà stava litigando al telefono con la nonna a proposito dei vuoti di bottiglia.

Il signor Lucas era di sopra a chiacchierare con la mamma. Quando il nostro cortese vicino se n'è andato, papà è salito, si è messo a litigare con la mamma e l'ha fatta piangere. Papà è di pessimo umore: si sta riprendendo. Per fare una cosa gentile, ho portato alla mamma una bella tazza di tè. Ha ricominciato a frignare. Certa gente è davvero incontentabile!

Il brufolo resiste.

Domenica 11 gennaio
Prima dopo l'Epifania

Adesso so di essere un intellettuale. Ho visto alla tele un programma di Malcolm Muggeridge sullo Zen, ieri sera, e ho capito quasi ogni parola. Tutto ha contribuito: una casa orribile, una nutrizione insufficiente, un fisico sfigato... adesso mi iscrivo anche alla biblioteca di zona, e vediamo che cosa succede.

È un peccato che da queste parti non ci siano altri intellettuali. Il signor Lucas porta calzoni di velluto sfondati e vecchie giacche di tweed con le toppe, ma fa l'assicuratore. Non credo valga.

La prima che, dopo l'Epifania?

Lunedì 12 gennaio

Il cane è di nuovo tra noi. Continua a leccarsi i punti, quando mangio cerco di non guardarlo.

La mamma si è alzata e stamattina gli ha fatto una cuccia per la convalescenza con una vecchia scatola di detersivo. Papà, sempre ottimista, sostiene che la puzza di detersivo lo farà starnutire, che si romperanno i punti e il veterinario raddoppierà la parcella. I miei hanno cominciato a litigare a proposito della scatola, poi mio padre ha proseguito a proposito del signor Lucas. Il rapporto tra il signor Lucas e la cuccia del cane è un mistero.

Martedì 13 gennaio

Papà è tornato a lavorare. Evviva! Non so come faccia la mamma a sopportarlo.

Stamattina il signor Lucas è venuto a vedere se la mamma aveva bisogno di una mano in casa. È sempre molto gentile. La signora Lucas stava pulendo i vetri delle finestre all'esterno di casa sua. La scala a pioli non aveva l'aria molto solida. Ho scritto a Malcolm Muggeridge alla BBC per chiedergli che cosa si deve fare quando si è un intellettuale. Spero che mi risponda presto perché comincio a stufarmi. Ho scritto una poesia e ci ho messo due minuti. Anche i poeti più famosi ci mettono di più. Si intitola *Il rubinetto* ma non è tecnica, è molto, molto profonda; è sulla vita e roba del genere.

Il rubinetto, di Adrian Mole

Il rubinetto perde e desto mi tiene,
domani lì sotto un laghetto ci viene.
Per una rondella il tappeto buttar!
Per prenderne un altro papà ha da sgobbar.
Il pezzo in fabbrica, però, può sgraffignar
Aggiustalo, presto, non devi tardar.

Ho fatto vedere questa prima strofa alla mamma e si è messa a ridere, lei non ha un'intelligenza molto brillante. Non mi ha ancora lavato i calzoncini da ginnastica e domani ricomincia la scuola. Non è come le mamme della pubblicità.

Mercoledì 14 gennaio

Mi sono iscritto alla biblioteca. Ho preso in prestito *Cura della pelle*, *L'origine della specie*, e un libro di una donna che la mamma nomina sempre.

Si chiama *Orgoglio e pregiudizio,* di una certa Jane Austen. La bibliotecaria è rimasta davvero impressionata, magari è un'intellettuale come me. Non ha neanche guardato il brufolo. Forse sta diventando più piccolo: era ora!

A casa, il signor Lucas era in cucina a bere il caffè con mia madre. La stanza era piena di fumo e i due stavano ridendo forte, ma quando sono entrato io hanno smesso.

La signora Lucas, invece, stava sgorgando le fognature di casa sua. Sembrava di cattivo umore. Credo che quello dei Lucas non sia un matrimonio felice. Povero signor Lucas!

A scuola quei babbuini dei professori non si sono ancora accorti che sono un intellettuale. Quando sarò famoso, se ne pentiranno. Nella nostra classe c'è una tipa nuova, che nell'ora di geografia si siede vicino a me. È tosta. Si chiama Pandora, ma le piace farsi chiamare «Vaso». Non chiedetemi perché. Potrei anche innamorarmi. È tempo per il sesso, dopo tutto ho tredici anni e tre quarti.

Giovedì 15 gennaio

Pandora ha i capelli color melassa, lunghi come devono essere i capelli delle ragazze. Ha un corpo bellissimo. L'ho vista giocare a pallavolo e le ballavano le tette. Mi sono sentito un po' strano. Credo che ci siamo!

Il cane, naturalmente, si è strappato i punti e ha morso la mano del veterinario, che ce la farà pagare salata.

Papà si è accorto del braccio del giradischi rotto. Gli ho detto una palla, che è stato il cane. Papà ha detto che quando sarà completamente guarito lo prenderà a calci. Spero che scherzi.

Quando sono tornato a casa da scuola il signor Lucas era ancora in cucina. Dato che adesso la mamma sta bene, perché continua a bazzicare casa nostra? La signora Lucas stava piantando alberi, fuori, al buio. Ho letto un po' di *Orgoglio e pregiudizio*, ma mi è sembrato molto antiquato. Questa Jane Austen dovrebbe decidersi a scrivere in modo più moderno.

Il cane ha gli occhi dello stesso colore di Pandora. Me ne sono accorto perché la mamma gli ha tagliato il ciuffo. Così sta peggio di prima. Il signor Lucas e mia madre ridevano del nuovo «taglio di capelli» del cane, il che non è molto leale, visto che i cani non possono rispondere, come la Famiglia Reale.

Andrò a letto presto per pensare a Pandora e fare i soliti esercizi di stretching. Sono due settimane che non cresco. Se va avanti così, rimarrò un puffo.

Se per sabato il brufolo non si è squagliato, vado dal dottore. Non ce la faccio più a fare questa vita, con tutti che me lo guardano fisso.

Venerdì 16 gennaio

Il signor Lucas si è offerto di accompagnare la mamma a fare la spesa in macchina. Mi hanno dato uno strappo fino a scuola. Sono stato proprio contento di scendere, con tutte quelle risate e la puzza di sigarette. Lungo la strada abbiamo visto la signora Lucas: era carica di sacchetti del supermercato. Mia madre l'ha salutata sventolando la mano, ma la signora Lucas non poteva risponderle.

Oggi c'era geografia, così sono stato per un'ora seduto vicino a Pandora. Ogni giorno che passa è sempre più bella. Le ho detto che ha gli occhi come quelli del mio cane, mi ha chiesto che cane fosse. Le ho detto un bastardo.

Ho prestato a Pandora il pennarello blu per colorare il mare attorno alle isole britanniche.

Le donne apprezzano queste piccole attenzioni.

Oggi ho cominciato a leggere *L'origine della specie,* ma è meglio la serie televisiva. *Cura della pelle* è ottimo: l'ho lasciato aperto alla pagina in cui si parla dell'importanza delle vitamine. Spero che la mamma lo legga. Ho messo il libro sul tavolo della cucina, vicino al portacenere, non può non vederlo. Ho preso appuntamento per il brufolo. Sta virando al giallo.

Sabato 17 gennaio

Stamattina sono stato svegliato molto presto dal rumore. La signora Lucas stava pavimentando il cortile e il camion betoniera continuava a girare mentre lei, con il badile, spargeva intorno il cemento prima che s'indurisse. Il signor Lucas le ha portato una tazza di tè. È veramente gentile.

Nigel è venuto a chiedermi se volevo andare al cinema. Negativo, gli ho detto, perché dovevo andare dal dottore per il brufolo. Secondo lui sono ridicolo, ma io so quello che faccio.

Il dottor Taylor dev'essere uno di quei medici della mutua con troppi clienti. Non ha degnato il brufolo di un'occhiata, ha solo detto che non dovevo preoccuparmi, e che a casa mia va tutto bene. Gli ho raccontato i casini della mia vita famigliare e le drammatiche insufficienze dell'alimentazione, ma secondo quel tipo sono ben nutrito e ho avuto un gran culo ad avere due genitori come i miei. I medici della mutua!

Compilerò l'apposito modulo per ottenere una visita specialistica.

Domenica 18 gennaio
Seconda dopo l'Epifania. Apertura dei corsi a Oxford

La signora Lucas e mia madre hanno litigato per il cane. È riuscito a scappare e ha lasciato un sacco di impronte sul cemento fresco. Papà ha proposto di sopprimerlo, ma la mamma si è messa a piangere, così lui ha cambiato idea. Tutti i vicini erano fuori a pulire le macchine e ascoltavano. Qualche volta la odio davvero, la belva!

Mi sono ricordato del proposito di aiutare i poveri senza cultura, così oggi ho preso un po' di giornaletti vecchi e li ho portati a una famiglia poverissima, che si è appena trasferita dietro l'angolo. So che sono poveri perché hanno la tivù in bianco e nero. È venuto un ragazzo ad aprirmi e gli ho spiegato perché ero lì. Ha dato un'occhiata ai giornaletti, ha ringhiato: «Roba antiquata, stronzetto!» e mi ha sbattuto la porta in faccia. Bella soddisfazione!

Lunedì 19 gennaio

Deciso a non farmi scoraggiare per così poco, a scuola sono entrato in un gruppo di volontari, i Buoni Samaritani. Si va in giro ad aiutare i bisognosi e roba del genere. Il lunedì pomeriggio si perde l'ora di matematica.

Oggi ci siamo divisi i ruoli. Io sono stato assegnato al gruppo che assiste i vecchi pensionati. Nigel si è beccato il pesantissimo compito di animatore dei bambocci dell'asilo! È incazzato nero.

Non vedo l'ora che venga lunedì prossimo. Mi porterò il registratore per immortalare tutte le storie del caro vecchietto sulla guerra eccetera. Speriamo che abbia una buona memoria.

Il cane è di nuovo dal veterinario. Ha del cemento indurito tra le grinfie. Così si spiega perché ieri sera faceva tanto casino nel salire la scala. Oggi, alla ricreazione, Pandora mi ha guardato e io le ho sorriso, ma avevo la bocca piena di focaccia. Che sfiga!

Martedì 20 gennaio
Luna piena

La mamma si è messa a cercare lavoro!

Adesso sì che potrei diventare un teppista. Che cosa farò durante le vacanze? Dovrò rifugiarmi nelle lavanderie automatiche per stare un po' al caldo? Diventerò un ragazzo con la chiave di casa al collo. Che ne sarà del cane? Che cosa mangerò? Sarò costretto a ingozzarmi di patatine e caramelle, mi verranno un sacco di brufoli e i denti marci mi cadranno. La mamma è un'egoista. Come lavoratrice, poi, non deve valere un soldo. Non è molto intelligente e beve troppo a Natale.

Ho telefonato alla nonna preoccupato: lei mi ha assicurato che durante le vacanze potrò andare da lei, e al pomeriggio accompagnarla alle riunioni della Terza Età e roba del genere. Vorrei non averle telefonato.

I Samaritani si sono incontrati oggi nell'intervallo del pranzo. Ci siamo divisi i vecchietti. A me è toccato un certo Bert Baxter. Ha ottantanove anni e penso che non me ne dovrò occupare per molto. Domani andrò a trovarlo. Spero che non abbia cani. Non ci vedo niente di ganzo, nei cani. O sono dal veterinario o piazzati davanti alla tele.

Mercoledì 21 gennaio

I Lucas divorziano! Sono i primi nella nostra via. La mamma è andata da loro a consolare il signor Lucas. De-v'essere molto sconvolto, perché quando è tornato a casa mio padre, lei era ancora là. La signora Lucas se n'è andata in taxi. Credo sia partita per sempre, perché si è portata via anche la cassetta degli attrezzi. Povero signor Lucas! Adesso lavare e stirare saranno cavoli suoi.

Stasera ha preparato la cena papà: curry precotto e riso, l'unica cosa che abbiamo trovato nel surgelatore, a parte una busta piena di roba verde che non aveva più l'etichetta. Papà, scherzando, ha proposto di portarla ad analizzare all'ufficio d'igiene. La mamma non ha riso. Forse pensava al povero signor Lucas, rimasto tutto solo.

Poi sono andato a trovare il vecchio signor Baxter. Mi ha accompagnato papà andando a giocare a biliardo. La casa del signor Baxter quasi non si vede, dalla strada. Ha davanti una siepe gigantesca che chissà da quanti anni nessuno ha potato. Quando ho bussato alla porta si è sentito abbaiare, ringhiare e raspare. Poi un rumore di bottiglie rovesciate, bestemmie, e poi più niente, perché sono scappato via. Spero di avere capito male il numero civico.

Tornando a casa ho incontrato Nigel. Mi ha detto che il padre di Pandora fa il lattaio.

A casa non c'era nessuno. Ho dato da mangiare al cane, ho dedicato un po' di tempo ai brufoli e sono andato a dormire.

Giovedì 22 gennaio

Non è vero che il padre di Pandora fa il lattaio. È ragioniere alla centrale del latte. Pandora dice che Nigel è un gran pallista e che un giorno o l'altro gliela farà pagare. E io continuo a essere innamorato di lei.

Nigel mi ha proposto di andare alla discoteca dei ragazzi domani sera: c'è una festa per raccogliere i soldi per comprare un altro pacchetto di palline da ping-pong. Non so se andarci, perché nei week-end Nigel si veste da punk. Sua mamma lo lascia fare solo se sotto il gilè con le borchie si mette la maglia di lana.

La mamma è andata a un colloquio di lavoro. Sta esercitandosi a scrivere a macchina; far da mangiare, nisba. Che cosa sarà di noi se l'assumono? Papà dovrebbe imporsi, prima che diventiamo una famiglia allo sbando.

Venerdì 23 gennaio

È l'ultima volta che vado in discoteca. Erano tutti punk tranne me e Rick Lemon, il gestore. Nigel ha fatto il buffone tutta la sera. Alla fine si è piantato una spilla da balia nell'orecchio e papà ha dovuto accompagnarlo in macchina all'ospedale. I genitori di Nigel non hanno la macchina, perché suo padre ha una placca d'acciaio nel cranio e sua madre è alta un metro e trentacinque. Non c'è da stupirsi che Nigel sia punk.

Non ho ancora ricevuto risposta da Malcolm Muggeridge. Forse è di cattivo umore. A noi intellettuali capita spesso. La gente qualunque non ci capisce e dice che ce la meniamo, ma non è vero.

Pandora è andata a trovare Nigel all'ospedale. La ferita gli ha fatto un po' infezione. Pandora dice che Nigel è un eroe, io dico che è pirla. Io ho avuto il mal di testa tutto il giorno perché la mamma scrive a macchina, ma non mi esce mai un lamento.

Domani andrò a trovare Bert Baxter: il numero civico era giusto. CHE SFIGA!

Sabato 24 gennaio

Oggi è stata la giornata più terribile della mia vita. Con la sua schifosa dattilografia la mamma è stata assunta da una società di assicurazioni. Comincia lunedì! Il signor Lucas lavora lì anche lui. Le darà un passaggio in macchina la mattina.

Papà non è contento, dice che sta per perdere la pazienza e allora vedremo.

Ma il peggio è che Bert Baxter non è affatto quel simpatico vecchietto in pensione che uno potrebbe credere. Beve, fuma e ha un grosso alsaziano, Sabre. Mentre potavo la siepe, era chiuso in cucina, ma non ha smesso un attimo di ringhiare e la cosa non promette niente di buono.

E non è finita! Pandora esce con Nigel!!! Credo davvero che non supererò mai questo choc.

Domenica 25 gennaio
Terza dopo l'Epifania

10.00. Sono completamente fuori di testa, troppo debole per scrivere a lungo. Nessuno si è accorto che non ho neanche fatto colazione.

14.00. A mezzogiorno ho preso due aspirinette per ragazzi e ora sto un po' meglio. Forse, quando sarò famoso e scopriranno il mio diario, la gente capirà tutto il casino di essere un ignoto intellettuale di tredici anni e tre quarti.

18.00. Pandora! Mio perduto amore!

Non accarezzerò più i tuoi capelli color melassa! (Ma il pennarello blu è sempre a tua disposizione.)

20.00. Pandora! Pandora! Pandora!

22.00. Perché? Perché? Perché?

24.00. Ho mangiato un panino alla salsa di polpa di granchio e un satsuma (per il bene della mia pelle). Va un po' meglio. Speriamo che Nigel caschi dalla bicicletta e sia spianato da un camion. Non gli rivolgerò mai più la parola. Lo sapeva che ero innamorato di Pandora! Se mi regalavano una bici da corsa per Natale, invece di quella fottutissima radiosveglia, niente di tutto ciò sarebbe successo.

Lunedì 26 gennaio

Ho dovuto lasciare il mio letto di dolore per andare a trovare Bert Baxter prima della scuola. Ci ho messo un secolo ad arrivare fin là, perché mi sentivo debole ed ero costretto a fermarmi ogni momento, ma con l'aiuto di una vecchia signora dai lunghi baffi neri sono riuscito a farcela. Bert Baxter era a letto, ma mi ha buttato la chiave dalla finestra e sono entrato. Sabre era chiuso nel bagno; ringhiava, dai rumori ho dedotto che stava sbranando salviette o roba del genere.

Bert Baxter era a letto a fumare. Il letto faceva schifo e c'era una puzza orribile nella camera, che credo venisse dallo stesso Baxter. Le lenzuola sembravano tutte macchiate di sangue, ma Bert mi ha spiegato che erano macchie di barbabietola, con cui ama farsi dei panini prima di dormire. Era la camera più disgustosa che abbia mai visto (e io conosco bene lo squallore). Bert mi ha dato dieci pence e mi ha detto di andargli a comperare il *Morning Star*. È un comunista! Di solito è Sabre che gli porta il giornale, ma oggi era in castigo nel bagno, perché ha staccato a morsi pezzi del lavandino in cucina.

Il giornalaio mi ha dato il conto da portare a Bert Baxter (31 sterline e 97 pence) ma quando gliel'ho dato, Bert ha detto: «Dannato quattrocchi!» e ha strappato il foglietto ridendo. Sono arrivato a scuola in ritardo, così mi è toccato passare in segreteria, dove mi hanno segnato sul registro dei ritardatari. Bel colpo! Non ho neanche perso matematica! Ho visto invece Nigel e Pandora che facevano insieme la coda per la mensa, incollati come siamesi. Ho deciso di ignorarli.

Il signor Lucas è distrutto: rimane tutto il giorno a letto perché, dice, è stato abbandonato. Accetta consolazione solo dalla mamma, che va a trovarlo dopo il lavoro. Quando troverà del tempo per occuparsi anche di me e di papà?

Papà sbuffa, credo che sia geloso per il fatto che il signor Lucas non voglia vedere *lui*, invece.

24.00. Buona notte Pandora, mio amore dai capelli color melassa.

Martedì 27 gennaio

Sono andato bene, oggi, a disegno. Ho dipinto un ragazzo solitario su un ponte. Il ragazzo aveva appena perduto il primo amore soffiatogli dal suo ex

migliore amico. L'ex migliore amico stava dibatten-
dosi nel fiume vorticoso. Il ragazzo guardava l'ex
migliore amico che affogava. L'ex migliore amico
assomigliava un po' a Nigel. Il ragazzo assomigliava
un po' a me. La professoressa Fossington-Gore ha
detto che il mio dipinto «era profondo», e anche il
fiume! Ah! Ah! Ah!

Mercoledì 28 gennaio
Ultimo quarto

Stamattina mi sono alzato con un freddo cane.
Ho chiesto alla mamma di farmi la giustificazione
per saltare ginnastica. Mi ha detto di no, che è stufa di viziarmi! Vorrei vedere lei correre in mutandine nella guazza gelata con su solo una maglietta. L'anno scorso, quando è venuta a vedermi al
saggio sportivo finale, *lei* aveva la pelliccia, si era
portata una coperta per le gambe, ed era *giugno!*
Comunque, adesso si sarà pentita: ci hanno fatto
giocare a rugby e la roba da ginnastica era così piena di fango che ha ingorgato il filtro della lavatrice.
Il veterinario ci ha telefonato di andare a riprendere il cane. Ormai sono nove giorni che è là.
Papà dice che il cane dovrà aspettare finché lui non
prende la paga, domani. Il veterinario accetta solo
contanti e papà è al verde.
Pandora! Perché?

Giovedì 29 gennaio

Quello stupido cane è di nuovo a casa. Ma io non lo porterò a fare il giretto finché non gli ricrescerà il pelo sulle zampe. Papà era pallido quando è tornato dal veterinario, continuava a ripetere «soldi buttati nel cesso» e ha dichiarato che d'ora in avanti il cane mangerà solo quello che avanza nei piatti.

Vuol dire che presto creperà di fame.

Venerdì 30 gennaio

Quel vecchio comunista di Bert Baxter ha telefonato a scuola lamentandosi che ho lasciato in giardino le cesoie dopo avergli potato la siepe! Dice che si sono tutte arrugginite per la pioggia e vuole essere risarcito. Ho detto al preside, il signor Scruton, che erano già arrugginite. Ma lui mi ha fatto una predica su com'è difficile arrivare alla fine del mese, per i pensionati, e mi ha ordinato di tornare da Baxter a pulire e affilare le cesoie. Volevo dire al preside tutta la verità sull'orrido Baxter, ma nel signor Scruton c'è qualcosa che mi crea il vuoto pneumatico nel cervello. Credo sia il modo in cui gli occhi gli strabuzzano fuori dalle orbite quando si arrabbia.

Mentre andavo da Bert Baxter ho visto la mamma e il signor Lucas che uscivano da una sala corse. Ho gridato, ho sventolato la mano, ma non mi hanno visto. Sono contento che il signor Lucas si senta meglio. Bert Baxter non ha aperto. Magari è morto.

Pandora! Ti penso sempre, baby.

Sabato 31 gennaio

È quasi febbraio e non ho nessuna a cui mandare gli auguri di San Valentino.

Domenica 1° febbraio
Quarta dopo l'Epifania

Ieri sera i miei hanno continuato a insultarsi da basso. Hanno rovesciato la pattumiera e sbattuto la porta del retro un miliardo di volte. Vorrei che i miei genitori fossero un po' più giudiziosi: ho appena attraversato un brutto periodo, emotivamente parlando, e ho bisogno di dormire. Ma figurati se quelli capiscono che cosa vuol dire essere innamorati. Sono sposati da quattordici anni e mezzo.

Questo pomeriggio sono andato a trovare Bert Baxter, ma grazie a Dio era andato in gita a Skegness con quelli della Terza Età. Sabre mi fissava dalla finestra del soggiorno.

Gli ho fatto un gestaccio. Speriamo che se ne dimentichi.

Lunedì 2 febbraio

La signora Lucas è tornata! L'ho vista che sradicava piante e cespugli dal giardino e li caricava su un furgone. Poi ha preso la cassetta con gli attrezzi da giardinaggio e se ne è andata. Sul furgone c'era scritto: IL RIFUGIO DELLE DONNE. Il signor Lucas è venuto a casa nostra per parlare con la mamma, sono sceso a salutarlo ma era troppo sconvolto per notarmi. Ho chiesto alla mamma se oggi torna presto dal lavoro, sono stufo di aspettare la cena un'eternità. Mi ha detto di no.

Oggi Nigel è stato cacciato dalla mensa perché ha criticato la ciambella, ha detto che c'era molto buco e poca dannata ciambella. La signora Leech ha fatto bene a espellerlo, perché c'erano anche quelli di prima. Noi che siamo di terza dobbiamo dare l'esempio. Pandora ha fatto girare una protesta per le ciambelle. Non ho firmato.

Poi si sono riuniti i Buoni Samaritani. Ho dovuto per forza andare a trovare Bert Baxter. Così sono stato obbligato a perdere il compito in classe di algebra! Ah! Ah! Ah! Bert mi ha regalato un pezzo di roccia di Skegness e m'ha detto che gli spiace di aver telefonato a scuola per lamentarsi per le cesoie. Dice che si sentiva solo e aveva voglia di ascoltare una voce umana. Per quanto solo mi possa sentire, mai al mondo telefonerei alla mia scuola, io. Piuttosto al disco dell'ora esatta, che ti parla ogni dieci secondi.

Martedì 3 febbraio

Ormai sono parecchi giorni che la mamma non fa più niente in casa. Si limita ad andare a lavorare, consolare il signor Lucas, leggere e fumare. Intanto, si è rotta la macchina di papà. Ho dovuto fargli vedere dove si prende l'autobus per andare in città. Un uomo di quarant'anni, non sapere nemmeno dov'è la fermata! Papà aveva l'aria così abbattuta che quasi mi vergognavo di farmi vedere assieme a lui. Sono stato contento quando è arrivato l'autobus. Gli ho gridato che non si può fumare al piano inferiore, ma lui mi ha fatto ciao con la mano e si è acceso la sigaretta. C'è una multa di cinquanta sterline, in Inghilterra, per chi fuma al piano inferiore degli autobus. Se ero io il controllore, davo ai contravventori una multa di mille sterline *e poi* gli facevo mangiare il pacchetto.

La mamma sta leggendo *L'eunuco femmina* di Germaine Greer. Dice che è un libro di quelli che ti cambiano la vita. La mia non l'ha cambiata, quando gli ho dato una scorsa. È pieno di parolacce.

Mercoledì 4 febbraio
Luna nuova

Stanotte ho avuto la prima polluzione notturna! Allora la mamma aveva ragione a proposito di *L'eunuco femmina*. Mi ha cambiato la vita.

Il brufolo si è sgonfiato.

Giovedì 5 febbraio

La mamma ha comprato una di quelle tute che portano gli imbianchini. Sotto si vede tutto. Spero che non se la metta per strada.

Domani si fa forare i lobi delle orecchie. Sta diventando una spendacciona, come la mamma di Nigel. A casa loro non fanno che ricevere avvisi; se non pagano la bolletta, gli staccano la luce, e tutto perché la mamma di Nigel si compra un paio di scarpe con i tacchi alti alla settimana.

Mi piacerebbe sapere che fine fanno gli assegni famigliari che per legge spetterebbero a me. Domani glielo chiedo, alla mamma.

Venerdì 6 febbraio
Incoronazione della regina nel 1952

È bruttissimo avere una mamma che lavora. Arriva a casa di corsa carica di pacchi, prepara la cena, e va in giro truccandosi. Ma continua a non fare i mestieri perché deve consolare il signor Lucas. Sono tre giorni che c'è una fetta di bacon incastrata tra il frigo e la cucina a gas.

Oggi le ho chiesto notizie dei miei assegni famigliari, si è messa a ridere e mi ha detto che sono andati tutti in sigarette e gin. Se viene a saperlo il ministero, sono cavoli suoi.

Sabato 7 febbraio

Il casino continua. La rissa tra i miei è cominciata per via della fetta di bacon incastrata tra frigo e cucina, poi è proseguita sul prezzo della riparazione dell'auto. Sono salito in camera mia e ho messo su dei dischi degli Abba. Papà ha avuto il coraggio di aprire la porta e chiedermi di abbassare il volume. L'ho fatto. Quando è sceso da basso, l'ho alzato di nuovo.

Siccome nessuno ha cucinato sono andato alla tavola calda cinese e mi sono comprato un cartoccio di patatine fritte con la soia. Mi sono seduto sotto la tettoia della fermata dell'autobus e me le sono mangiate, poi ho fatto un giretto tristissimo. Sono tornato a casa. Ho dato da mangiare al cane. Ho letto per un po' *L'eunuco femmina*. Mi sono sentito strano. Sono andato a dormire.

Domenica 8 febbraio

Stamattina papà è entrato in camera mia dicendo che mi doveva parlare. Si è messo ad avvitare il pomello del mio armadio con il suo coltellino svizzero, ha sfogliato il mio album da disegno e mi ha domandato come andavo a scuola. Poi mi ha detto che gli dispiaceva per gli urlacci di ieri, ma che fra lui e la mamma «è un momentaccio». Mi ha domandato se avevo qualcosa da dire. Gli ho detto che mi doveva trentadue pence per le patatine cinesi alla soia. Mi ha dato una sterlina. Ci ho guadagnato sessantotto pence.

Lunedì 9 febbraio

Stamattina c'era un camion dei traslochi davanti alla casa del signor Lucas. La signora Lucas e altre donne stavano portando via i mobili. Il signor Lucas guardava dalla finestra della camera da letto. Aveva l'aria un po' spaurita. La signora Lucas sghignazzava additandolo alle altre, che si sono messe a ridere anche loro cantando: «Maschio, maschietto, non stare lì a guardare: a casa ci sono i piatti da lavare!»

La mamma ha telefonato al signor Lucas chiedendogli se andava tutto bene. Lui le ha risposto che non andava a lavorare perché aveva paura che sua moglie gli fregasse lo stereo e i dischi. Papà ha aiutato la signora Lucas a caricare la stufa a gas sul camion, poi lui e la mamma sono andati insieme a prendere l'autobus. Io camminavo a qualche passo di distanza, perché la mamma aveva degli orecchini esagerati e papà i risvolti dei calzoni scuciti. A un certo punto si sono messi a litigare a proposito di non so che e allora ho imboccato la strada più lunga per andare a scuola e li ho piantati lì.

Oggi Bert Baxter stava bene. Mi ha anche raccontato qualche episodio della prima guerra mondiale. Mi ha detto che gli ha salvato la vita la Bibbia, che teneva sempre sul cuore. Me l'ha fatta vedere, è stata stampata nel 1956. Credo che Bert si stia rimbambendo un po'.

Pandora! Il tuo ricordo è un tormento.

Martedì 10 febbraio

Siccome non ha più i mobili, il signor Lucas è venuto a dormire da noi.

Papà è andato a Matlock a cercare di vendere delle stufette elettriche a un grande albergo.

La nostra caldaia si è guastata. Fa un freddo incredibile.

Mercoledì 11 febbraio
Primo quarto

Papà ha telefonato da Matlock dicendo che aveva perso la carta di credito e che stasera non poteva tornare a casa. Allora, per tutta la notte, la mamma e il signor Lucas sono stati alzati per cercare di aggiustare la caldaia. Verso le dieci sono sceso per vedere se avevano bisogno di una mano, ma la porta della cucina era chiusa. Il signor Lucas ha detto che in quel preciso momento non mi poteva aprire, perché era a uno stadio cruciale con la caldaia e anche la mamma lo stava aiutando e aveva le mani occupate.

Giovedì 12 febbraio
Anniversario della nascita di Abramo Lincoln

Stanotte ho sorpreso la mamma che si tingeva i capelli nel bagno. Per me è stato uno choc. Per tredici anni e tre quarti ho creduto che mia mamma avesse i capelli rossi, e adesso scopro invece che li ha castano chiaro. Mi ha chiesto di non dirlo a papà. In che stato dev'essere il loro matrimonio! Mi domando se lui sa che la mamma porta il reggipetto imbottito. Non lo stende ad asciugare fuori come il resto del bucato, ma una volta l'ho visto appeso sopra il calorifero in bagno. Chissà quali altri segreti ha, la mamma.

Venerdì 13 febbraio

Per me è stata davvero una giornata sfigata!

Al posto di Pandora, nell'ora di geografia, adesso viene a sedersi vicino a me Barry Kent. Non fa che copiare e mi fa esplodere palloncini di gomma da masticare nelle orecchie. L'ho detto alla signorina Elf, ma anche lei, evidentemente ha paura di Barry Kent, perché non gli ha detto niente.

Oggi Pandora sembrava una modella: aveva una gonna con lo spacco e si vedevano le gambe. Ha una crosta sul ginocchio. Attorno al polso portava la sciarpa con i colori della squadra di football di Nigel, ma la signorina Elf se n'è accorta e le ha detto di togliersela. La signorina Elf, evidentemente, di lei non ha paura. Ho mandato a Pandora un cartoncino di auguri di San Valentino.

Sabato 14 febbraio
Festa di San Valentino

Ho ricevuto solo un cartoncino d'auguri di San Valentino. Siccome ho riconosciuto la scrittura della mamma, non conta. Lei ha ricevuto un cartoncino enorme, che la posta ha dovuto recapitare con il furgone. Quando ha aperto la busta, è diventata tutta rossa. C'era un grosso elefante di satin con un mazzo di fiori di plastica nella proboscide e un fumetto che gli usciva dalla bocca con su scritto: «Ciao, bellezza! Non ti dimenticherò mai!» Non c'era firma, solo un sacco di cuori disegnati con dentro scritto: «Pauline». Gli auguri di papà, in confronto, erano piccolissimi. Sulla copertina un mazzolino di fiori rossi, e dentro c'era scritto: «Riproviamoci».

Ecco la poesia che ho scritto nel cartoncino di auguri a San Valentino per Pandora:

Pandora!
Ti adoro.
E t'imploro.
Non m'ignorar!

Siccome l'ho scritta con la sinistra, non può riconoscere la calligrafia.

Domenica 15 febbraio
Septuagesima

Ieri sera il signor Lucas è tornato nella sua casa vuota. Penso che si sia stufato dei litigi a proposito dell'elefante di San Valentino. Ho detto a papà che, se c'è un uomo che segretamente l'ammira, che cosa ci può fare la mamma? Lui ha fatto una risata con la bocca storta e ha replicato: «Figliolo, hai ancora parecchio da imparare».

Ho tagliato la corda e sono andato a pranzo dalla nonna. Lì sì che il pranzo della domenica è una pacchia: arrosto con le patate e budino fatto in casa, non surgelato, precotto, liofilizzato e in scatola.

Ho portato anche il cane; poi siamo andati a fare un giro per digerire.

La nonna non parla con la mamma dalla scenata dei golf. Dice che «non metterà più piede in quella casa!» Mi ha chiesto se credo nella vita ultraterrena, le ho detto di no. Mi ha raccontato che lei si è convertita alla Chiesa Spiritualista e che nell'ultima seduta ha sentito la voce del nonno che voleva il suo rabarbaro. Il nonno è morto quattro anni fa!!! Mercoledì sera cercherà di mettersi ancora in contatto con lui e mi ha chiesto di accompagnarla. Dice che ho l'aura.

Il cane si è ingozzato con un osso di pollo ma l'abbiamo rivoltato e picchiato forte, così l'osso è caduto fuori. L'ho lasciato dalla nonna, lì se la passa meglio.

Ho cercato «Septuagesima» nel dizionario: non c'è. Domani ci provo con quello della scuola.

Sono rimasto sveglio per un bel pezzo a pensare a Dio, alla vita, alla morte, e a Pandora.

Lunedì 16 febbraio
Giorno natale di Giorgio Washington

Una lettera della BBC!!! Una busta bianca e oblunga con su scritto BBC in stampatello rosso. C'erano il mio nome e indirizzo! Vorranno le mie poesie? Ahimè no. Ma è una lettera di un certo John Tydeman, ecco che cosa mi ha scritto:

Caro Adrian Mole,

grazie delle poesie che hai mandato alla BBC e che, non so come, sono finite sulla mia scrivania. Le ho lette con interesse e, considerando la tua tenera età, devo confessare che effettivamente sembrano promettere qualcosa. Tuttavia la loro qualità non è tale da consentirci di utilizzarle in uno dei nostri programmi di poesia. Hai pensato di offrirle alla rivista della tua scuola, o della parrocchia? (Se c'è.)

Se in futuro vorrai sottoporre altri lavori alla BBC permettimi di suggerirti di scriverli a macchina, conservandone una copia per te. Di solito la BBC non prende in considerazione manoscritti e, nonostante la chiarezza della presentazione, effettivamente ho fatto fatica a comprendere *tutte* le parole – specialmente alla fine della poesia intitolata *Il rubinetto,* dove c'era qualche brutta macchia.

Poiché intendi intraprendere la carriera letteraria, ti suggerisco di farti fin d'ora la pelle dura allo scopo di sopportare meglio le inevitabili delusioni e accogliere gli immancabili rifiuti con buona grazia e il minimo di sofferenza personale.

Con i migliori auguri per i tuoi prossimi sforzi letterari – e, soprattutto, buona fortuna!

Sinceramente tuo
John Tydeman

PS. Accludo una poesia di un certo John Mole apparsa questa settimana sul supplemento letterario del *Times.*È forse tuo parente? È molto bella.

Il papà e la mamma sono rimasti veramente impressionati. Continuavo a tirarla fuori e a leggerla, a scuola. Speravo che qualche professore volesse vederla, ma non è stato così.

Invece l'ha letta Bert Baxter mentre lavavo i suoi schifosi piatti. Dice che alla BBC sono un branco di drogati. Lo zio di suo cognato una volta abitava accanto a una che distribuisce il tè nell'intervallo di lavoro alla BBC, quindi Bert sa tutto.

Pandora ha ricevuto diciassette biglietti di auguri di San Valentino. Nigel sette. Perfino l'odiato Barry Kent ne ha ricevuti tre! Quando mi hanno chiesto quanti ne ho ricevuti io, mi sono limitato a un sorriso carico di mistero. Comunque scommetto che a scuola sono l'unico che ha ricevuto una lettera dalla BBC.

Martedì 17 febbraio

Barry Kent mi ha detto che se non gli do venticinque pence al giorno mi pesta. Gli ho detto che perde tempo se spera di estorcermi il grano con le minacce, perché non ce l'ho. La mamma mi versa direttamente la mancia sul libretto della cooperativa edilizia, salvo quindici pence al giorno per comprare le barrette al cioccolato. Barry Kent ha detto che allora vuole i soldi della mensa. Gli ho spiegato che, da quando il pasto costa mezza sterlina, papà paga con un assegno, ma Barry Kent mi ha dato un colpo nelle balle e se n'è andato dicendo che, se volevo, ce n'era ancora.

Sono andato all'edicola a far domanda per consegnare i giornali.

Mercoledì 18 febbraio
Luna piena

Mi sono svegliato con il mal di balle. L'ho detto alla mamma, ha detto: «Fa' vedere», le ho detto di no, allora mi ha detto di tenermelo. Non mi ha fatto la giustificazione per l'ora di ginnastica, e ho dovuto sguazzare in mezzo al fango. Barry Kent, durante la mischia, mi è saltato in testa. Il signor Jones l'ha visto e l'ha espulso.

Vorrei avere qualche malattia non dolorosa per saltare le partite. Non so, il cuore debole, magari.

Sono andato a riprendere il cane dalla nonna. Gli ha fatto il bagno e l'ha pettinato. Adesso puzza come il banco dei profumi al supermercato.

Sono andato con la nonna alla riunione degli Spiritualisti: un branco di vecchietti. Un matto si è alzato a dire che lui ha una radio nella testa che gli spiega che cosa deve fare. Nessuno gli ha badato e lui si è riseduto. Una certa Alice Tonks ha cominciato a mugolare e girare gli occhi parlando con uno spirito di nome Arthur Mayfield, ma mio nonno non s'è fatto vivo. Quando siamo tornati a casa la nonna era un po' triste, così le ho preparato una tazza di tè.

Mi ha regalato mezza sterlina e sono andato via con il cane. Ho cominciato a leggere *La fattoria degli animali* di George Orwell. Ho deciso: da grande farò il veterinario.

Giovedì 19 febbraio
Compleanno del principe Andrea (1960)

Beato lui che ha le guardie del corpo. Non c'è mica Barry Kent che gli spreme il grano, al principe Andrea. Mezza sterlina sfumata! Vorrei essere cintura nera di karatè per rompere il collo a Barry Kent.

A casa tutto tranquillo: i miei non si parlano nemmeno.

Venerdì 20 febbraio

Oggi, a geografia, Barry Kent ha detto alla signorina Elf di «andare a farsi...» e lei l'ha spedito dal preside. Mi farò amico di Craig Thomas; è uno dei più grossi di terza. Nell'intervallo gli ho regalato una barretta al cioccolato. Ho fatto finta che stavo male e non mi sentivo di mangiarla io. Ha detto: «Grazie Moley». È la prima parola che mi dice. Se gioco bene le mie carte, entro nella sua banda e Barry Kent non oserà più toccarmi.

La mamma sta leggendo un altro libro pornografico che si chiama *Il secondo sesso*, di una scrittrice gallina che si chiama Simone de Beauvoir. Gallina, cioè della Gallia, cioè francese, ah, ah. L'ha lasciato sul tavolino in soggiorno dove tutti potevano vederlo, compresa la nonna!

Sabato 21 febbraio

Ho fatto un bellissimo sogno in cui Sabre stava sbranando Barry Kent. Il signor Scruton e la signorina Elf stavano a guardare. C'era anche Pandora, con la gonna con lo spacco. A un certo punto mi abbracciava e mi diceva: «Io sono del secondo sesso». Allora mi sono svegliato. È la seconda polluzione notturna, devo ficcare il pigiama nella lavatrice, sennò la mamma se ne accorge.

Mi sono guardato bene allo specchio del bagno: ho cinque foruncoli in faccia, oltre a quello sul mento. Sul labbro superiore ho dei peli. Ci siamo quasi, con la barba.

Sono andato dal meccanico con papà, ma la macchina non era ancora pronta. C'erano tutti i pezzi sul bancone. Papà quasi si metteva a piangere. Ho avuto vergogna per lui. Siamo andati a piedi al supermercato e papà ha comprato scatolette di salmone, granchi e gamberetti, una torta della Foresta Nera e dei formaggini mollicci avvolti in foglie di vite.

Quando siamo tornati a casa, la mamma si è arrabbiata con lui perché si era dimenticato il pane, il burro e la carta igienica. Ha detto che non si fiderà più a lasciarlo andare a fare la spesa da solo. Papà mi è sembrato sollevato.

Domenica 22 febbraio
Sexagesima

Papà è andato a pescare con il cane. Il signor Lucas è venuto a pranzo da noi ed è rimasto anche per il tè. S'è mangiato tre fette di torta della Foresta Nera. Abbiamo giocato a Monopoli. Il signor Lucas era banchiere, la mamma, invece, continuava ad andare in prigione. Ho vinto io perché ero l'unico che si concentrava sul gioco. Quando è arrivato papà, il signor Lucas è uscito dal retro. Papà è entrato dicendo che aveva proprio voglia di mangiarsi una bella fetta di torta della Foresta Nera. Non ce n'era più. Papà ha detto che non aveva mangiato niente tutto il giorno, e lo stesso i pesci. Per cena la mamma gli ha dato i formaggini mollicci in foglia di vite e i cracker. Papà li ha tirati contro il muro urlando che non era un fott. topo, era un fott. uomo, e mamma a gridare che era un pezzo che lui non fott. più. A questo punto mi hanno mandato fuori. È terribile sentire la propria madre che dice le parolacce. Per me la colpa è dei libri che legge. Non mi ha nemmeno stirato l'uniforme della scuola, speriamo che se ne ricordi.

Stanotte lascio dormire il cane in camera mia, non gli piacciono i litigi.

Lunedì 23 febbraio

L'edicolante, il signor Cherry, mi ha affidato un giro di consegna dei giornali. Che sfiga!

Bert Baxter è preoccupato per Sabre, che non mangia più e non cerca di azzannare nessuno. Mi ha chiesto di portarlo dal veterinario. Lo porterò domani, se non migliora.

Sono stufo di lavare i piatti di Bert. Sembra che mangi solo uova fritte e non è uno scherzo lavare piatti e padelle sporchi nell'acqua fredda senza detersivo. E non c'è mai un asciugapiatti pulito. Neanche sporco, del resto, e siccome Sabre ha lacerato tutte le salviette del bagno, non so come fa Bert a lavarsi. Cercherò di trovargli un aiuto domestico.

Devo mettermi a studiare sul serio, se voglio diventare veterinario.

Martedì 24 febbraio
San Mattia

Mi sono alzato alle sei per fare il giro dei giornali. Mi è toccato Elm Tree Avenue, un posto snob. Leggono solo giornali pesantissimi: il *Times*, il *Daily Telegraph* e il *Guardian*.

Bert dice che Sabre sta meglio, ha cercato di mordere il lattaio.

Mercoledì 25 febbraio

Stasera a letto presto per via del mio giro. Oltre ai giornali ho consegnato venticinque copie del *Punch*.

Giovedì 26 febbraio

Oggi ho ritirato il pacco sbagliato all'edicola. Così a Elm Tree Avenue sono stati consegnati i giornali scandalistici destinati a Corporation Row, dove sono finiti invece i giornali pesanti.

Non capisco perché si siano tanto arrabbiati. Dovrebbero essere contenti di leggere per una volta un giornale diverso, tanto per cambiare.

Venerdì 27 febbraio
Ultimo quarto

Stamattina presto ho visto Pandora uscire dalla casa di Elm Tree Avenue al numero 69. Era vestita da cavallerizza, quindi non andava certamente a scuola. Non mi sono fatto vedere: non voglio che sappia che vado in giro a consegnare i giornali.

Ho dato una bella guardata alla casa di Pandora. È molto più grande della nostra. Ha le tapparelle di legno alle finestre: tutte le camere sembrano giungle, per le piante che ci sono. Ho guardato dentro dal buco delle lettere e ho visto un gattone che mangiava qualcosa sul tavolo della cucina. Sono abbonati al *Guardian,* al *Punch,* ai gialli *Private Eye* e a *New Society.* Pandora legge i fotoromanzi per ragazze: non è un'intellettuale come me. Ma credo che neppure la moglie di Malcolm Muggeridge lo sia.

Sabato 28 febbraio

Pandora ha un bel cavallino grasso che si chiama Blossom. Gli dà da mangiare e gli fa saltare dei barili tutte le mattine prima di andare a scuola. Lo so perché mi sono nascosto dietro la Volvo di suo padre e poi l'ho seguita fino a un campo lungo la vecchia ferrovia. Mi sono nascosto dietro una carcassa d'auto, all'angolo del campo, e l'ho guardata. Sta benissimo vestita da cavallerizza. Le tette le ballavano da matti. Presto avrà bisogno del reggipetto. Il cuore mi batteva tanto in gola che mi sembrava di essere una cassa dello stereo, così sono andato via prima che lei mi sentisse.

La gente si è lamentata che i giornali sono arrivati tardi. Mi è rimasto un *Guardian,* così l'ho portato a casa per leggerlo. Era pieno di errori d'ortografia! È vergognoso, se si pensa a quanti disoccupati ci sono che sanno scrivere senza fare errori.

Domenica 1° marzo

Prima di fare il giro dei giornali ho dato qualche zuccherino a Blossom. Questo in qualche modo mi fa sentire più vicino a Pandora.

Mi sono rotto la schiena a portare i supplementi domenicali. Mi è rimasta la rivista di pettegolezzi *Sunday People* e l'ho regalata alla mamma. Ha detto che può andar bene solo per foderare la pattumiera. Ho preso la paga delle sei mattine, due sterline e sei pence. È un lavoro da schiavi. E devo darne metà a Barry Kent. Il signor Cherry mi ha detto che ha ricevuto un reclamo da Elm Tree Avenue al numero 69, pare che ieri non abbiano ricevuto il *Guardian*. Il signor Cherry gli ha mandato un *Daily Express* con tante scuse, ma il padre di Pandora è venuto a riportarlo all'edicola dicendo che preferisce far senza.

Oggi non ho letto nemmeno i giornali. Mi hanno scocciato, i giornali.

Pranzo domenicale cinese. Poi, quando papà è andato a trovare la nonna, è venuto il signor Lucas. All'occhiello della giacca sportiva aveva un narciso di plastica.

I foruncoli mi sono andati via tutti. Dev'essere l'aria del mattino presto.

Lunedì 2 marzo

La mamma è appena entrata in camera mia dicendo che doveva darmi una brutta notizia. Mi sono seduto sul letto con la faccia seria, nel caso dicesse che aveva solo sei mesi di vita, che l'avevano beccata a fregare al supermercato o roba del genere. Ha giocherellato un po' con la coperta, mi ha sporcato di cenere il modellino del Concorde, e ha cominciato a balbettare qualcosa a proposito di «rapporti adulti», «la vita è complicata», e che lei doveva «trovare se stessa». Ha detto che mi adorava. Esagerata! E che mai avrebbe voluto farmi del male. E poi mi ha detto che, per certe donne, il matrimonio è come stare in prigione. Poi è andata via.

Il matrimonio non è come stare in prigione! Le donne possono uscire tutti i giorni per fare la spesa eccetera. Senza contare che tantissime vanno a lavorare. Credo che la mamma sia un po' melodrammatica.

Ho finito *La fattoria degli animali* di Orwell. È simbolico da matti. D'ora in poi tratterò i porci con il disprezzo che si meritano. Boicotterò qualunque qualità di maiale.

Martedì 3 marzo
Ultimo giorno di Carnevale

Ho dato a Barry Kent i soldi della tangente. Come fa a esserci un Dio? Se c'era, non lasciava andare in giro gente come Barry Kent a minacciare gli intellettuali. Perché i ragazzi grossi se la prendono con i ragazzi più piccoli? Forse gli si è guastato il cervello a furia di crescere dalle altre parti, o forse è perché fanno troppo sport, o magari è che ai ragazzi grossi gli piace proprio minacciare e fare a cazzotti.

Quando sarò all'università, studierò il problema.

La mia tesi sarà pubblicata e ne manderò una copia a Barry Kent. Magari per allora avrà imparato a leggere.

La mamma si è dimenticata che oggi si fanno le frittelle. Gliel'ho ricordato alle undici di sera. Sono sicuro che ha fatto apposta a farle bruciare. Fra un mese avrò quattordici anni.

Mercoledì 4 marzo
Delle Ceneri

Che brutta sorpresa, stamattina. Riportando il sacco dei giornali all'edicola ho scorto il signor Lucas che guardava le riviste in cima alla pila. Mi sono nascosto e ho visto benissimo che ha scelto *Playmen*, ha pagato e se n'è andato con la rivista nascosta nel cappotto.

È un giornale indecente. È pieno di foto porno-
grafiche. La mamma dovrebbe esserne informata.

Giovedì 5 marzo

Oggi papà ha ritirato la macchina dal garage. È
rimasto due ore sane a pulirla e rimirarla. Mi sono
accorto che manca la mano che saluta che gli avevo
regalato a Natale. Gli ho detto di reclamare al garage, ma lui dice che non è il caso di piantar casino.
Siamo andati dalla nonna per provare la macchina.
Ci ha dato una tazza di tè deteinato e un pezzo di
torta schifosa. Non ha neanche chiesto come sta
la mamma e ha detto che papà è pallido e magro e
che «deve nutrirsi di più».

Mi ha raccontato che Bert Baxter è stato espulso
dal circolo della Terza Età per via del suo pessimo
comportamento a Skegness. Il pullman ha dovuto
aspettarlo due ore. Dopo di che è stato mandato
un corpo di spedizione di anziani a cercarlo nei bar.
Poi Bert è arrivato, ubriaco ma solo, e si è dovuto
mandare un altro corpo di spedizione a cercare il
primo corpo di spedizione. Alla fine è stata chiamata la polizia e ci sono volute ore per riunire tutti
i pensionati e imbarcarli sul pullman.

La nonna dice che il viaggio di ritorno è stato
un incubo. Tutti che litigavano e gridavano come
matti. Bert Baxter si è messo a recitare una poesia
sporca a proposito di un esquimese, mentre la si-

gnora Harriman, che era diventata molto allegra, ha dovuto farsi togliere il busto.

Dice che dopo la gita a Skegness sono spirati due pensionati e che la colpa è di Bert Baxter perché è «come se li avesse assassinati lui», ma è più probabile che sia stato il vento gelido che tira sempre a Skegness a farli crepare.

Ho detto alla nonna che Bert Baxter non sembra poi così cattivo, quando si comincia a conoscerlo. Lei ha detto che non capisce come mai il Buon Dio si sia portato via il povero nonno e abbia lasciato sulla terra individui indegni come Bert Baxter. Poi ha stretto le labbra e ha portato il fazzoletto agli occhi, così siamo andati via.

Quando siamo tornati a casa, la mamma non c'era. È uscita con un gruppo di donne.

Ho sentito il papà che diceva «buonanotte» alla macchina. Credo che stia cominciando a dare i numeri.

Venerdì 6 marzo
Luna nuova

Il signor Cherry è molto contento del mio lavoro e mi ha aumentato la paga di due pence e mezzo l'ora. Mi ha anche offerto di fare il giro serale di Corporation Row, ma io ho rifiutato. È il quartiere dove il Comune piazza gli inquilini più cattivi. Barry Kent sta al numero 13.

Il signor Cherry mi ha regalato due copie arretrate di *Playmen*. Mi ha detto di non dirlo alla mamma. Le ho nascoste sotto il materasso. Gli intellettuali come me possono anche interessarsi di sesso. Sono le persone qualsiasi come il signor Lucas che dovrebbero vergognarsi.

Oggi ho telefonato in Comune e ho chiesto un aiuto domestico per Bert Baxter. Ho detto una bugia, che ero suo nipote. Lunedì mandano un'assistente sociale a vedere.

Con la tessera di papà sono andato in biblioteca a riprendere *Guerra e pace*. La mia copia l'ho persa.

Ho portato il cane a far conoscenza con Blossom. Vanno d'accordo.

Sabato 7 marzo

Dopo il giro dei giornali sono tornato a letto e ci sono rimasto tutta la mattina, a leggere *Playmen*. Mi sono sentito come non mi ero mai sentito prima.

Sono andato al supermercato con i miei. Tutte le donne mi facevano pensare alle foto di quella rivista, anche quelle di più di trent'anni! La mamma mi ha detto che avevo l'aria accaldata e annoiata e mi ha rimandato al parcheggio a fare compagnia al cane in macchina.

Il cane aveva già compagnia, abbaiava e guaiva così forte che aveva intorno un gruppo di gente che diceva «poveretto» e «che crudeltà lasciarlo legato così!» Si era infilato la leva del cambio nel collare e aveva gli occhi fuori della testa. Appena mi ha visto ha fatto un salto che a momenti si impicca.

Ho cercato di spiegare a quelle persone che da grande farò il veterinario, ma non mi hanno ascoltato e hanno cominciato a parlare della Protezione Animali. L'auto era chiusa, così sono stato costretto a rompere il deflettore e ad aprire la portiera infilandoci la mano. Quando l'ho slegato, il cane è impazzito dalla gioia, così la gente se n'è andata. Ma papà, lui non è mica impazzito dalla gioia quando ha visto il danno. Ha buttato per terra i sacchetti, ha spaccato le uova, ha schiacciato la torta ed è tornato a casa a cento all'ora. In macchina nessuno ha detto una parola, soltanto il cane sorrideva.

Ho finito *Guerra e pace.* È molto bello.

Domenica 8 marzo
Prima di Quaresima

La mamma è andata a un gruppo femminile di allenamento sull'assertività. Gli uomini non ci possono andare. Ho domandato a papà che cosa vuol dire allenamento sull'assertività. Ha risposto: «Lo sa Dio, ma qualunque cosa sia, è una brutta storia per me».

Abbiamo mangiato del merluzzo precotto con patatine fritte surgelate, seguito da pesche scirop-

pate con panna pronta. Papà ha aperto una bottiglia di vino bianco e me ne ha fatto assaggiare un
po'. Non ne so molto di vino, ma mi è sembrato di
un'annata buona. Abbiamo visto un film alla tele,
poi la mamma è tornata a casa e ha cominciato a
comandarci a bacchetta. Diceva che «gli schiavi
hanno alzato la testa» e che «le cose devono cambiare radicalmente in casa nostra». Dopo di che, in
cucina ha steso una lista dei mestieri di casa divi-
dendoli in tre colonne.

Le ho fatto notare che avevo già il giro dei giornali da fare, un vecchio pensionato a cui badare e
il cane da nutrire, oltre alla scuola, ma non mi ha
nemmeno ascoltato, ha appuntato il foglio al muro
dicendo: «Si comincia domani».

Lunedì 9 marzo
Giornata del Commonwealth

Prima di fare il giro dei giornali ho pulito il bagno, il water e la vasca. Sono tornato a casa, ho preparato la colazione, ho messo il bucato in lavatrice,
sono andato a scuola. Ho versato a Barry Kent la
tangente, sono andato da Bert Baxter, ho aspettato
l'assistente sociale che non è venuta, sono andato a mangiare alla mensa della scuola. Nell'ora di
economia domestica ho fatto la torta di mele. Sono
tornato a casa. Ho passato l'aspirapolvere in anticamera, soggiorno e cucina. Ho pelato le patate e

triturato le verze, mi sono tagliato un dito, ho lavato via il sangue dalla verza. Ho messo in padella le braciole e sono andato a prendere il libro delle ricette per vedere come si fa a farle al sugo. Le ho cucinate. Ho colato il sugo, che era venuto pieno di grumi. Ho apparecchiato e servito il pranzo, ho lavato i piatti. Ho messo a mollo le padelle bruciate. Ho tirato fuori il bucato dalla lavatrice: era diventato tutto blu, compresi fazzoletti e biancheria. Ho steso e poi ho dato da mangiare al cane. Ho stirato i calzoncini da ginnastica e lucidato le scarpe. Ho fatto i compiti. Ho portato fuori il cane, poi ho fatto il bagno. Ho lavato la vasca. Ho preparato il tè per tre. Ho lavato le tazze, sono andato a dormire. Ci voleva tutta la mia sfiga per avere una mamma assertiva.

Martedì 10 marzo
Compleanno del principe Edoardo (1964)

Perché non sono nato principe Edoardo e il principe Edoardo non è nato Adrian Mole? Mi trattano come un servo della gleba.

Mercoledì 11 marzo

Mi sono trascinato a scuola dopo aver fatto il giro dei giornali e i mestieri di casa. La mamma non mi vuol fare la giustificazione per educazione fisica, così ho lasciato apposta la roba a casa. Non potevo sopportare nemmeno l'idea di correre nel vento gelido.

Quel sadico del signor Jones mi ha fatto tornare a casa di corsa a prendere la roba da ginnastica. Il cane deve avermi seguito perché, quando sono arrivato al cancello della scuola, era dietro di me. Ho cercato di chiuderlo fuori, ma è passato tra le sbarre e mi è venuto dietro. Sono corso in spogliatoio lasciando fuori il cane, ma l'ho sentito ululare nel cortile della scuola. Ho cercato di strisciare non visto fino al campo ma il cane mi ha beccato, poi ha visto la palla ed è saltato in campo! Gioca benissimo a football, persino il signor Jones si è messo a ridere, finché la belva non ha bucato il pallone.

Il signor Scruton, il preside dagli occhi a palla, ha visto tutto dalla finestra. Mi ha ordinato di riportare a casa il cane. Gli ho detto che avrei perso il pasto alla mensa, ma lui ha detto che così imparavo a portarlo a scuola.

La signora Leech, della mensa, è stata molto gentile. Mi ha tenuto in caldo il riso al curry. Alla signora Leech non piace il signor Scruton e mi ha regalato un osso per il cane.

Giovedì 12 marzo

Stamattina mi sono alzato che avevo la faccia tutta piena di brufoloni rossi. La mamma dice che è colpa dei nervi ma io insisto che è per via della dieta carente. Ultimamente non abbiamo mangiato che precotti da scaldare nella busta. Forse sono allergico alla plastica. La mamma ha telefonato al dottor Gray per prendere appuntamento; non potrà visitarmi prima di lunedì! Per quel che ne sa, potrei avere la febbre gialla e contagiare tutto il quartiere. Ho detto alla mamma di spiegargli che era un caso di emergenza, ma secondo lei sono il solito fanatico! Dice che non morirò certo per qualche brufolo. Quando ho visto che andava a lavorare come se niente fosse, credevo di sognare. Adesso il lavoro è più importante di suo figlio?

Ho telefonato alla nonna, che è venuta in taxi, mi ha portato a casa sua e mi ha messo a letto. Ora sono da lei. È tutto molto pulito e tranquillo. Ho su il pigiama del nonno morto. Ho appena mangiato una scodella di minestra di orzo e manzo. È il primo piatto veramente nutriente che ho buttato giù da settimane.

Penso che quando la mamma tornerà e non mi troverà a casa scoppierà un litigio bestiale. Ma francamente, mio caro diario, non me ne frega un cavolo.

Venerdì 13 marzo
Primo quarto

Il dottore del servizio urgente è arrivato a casa di mia nonna poco prima di mezzanotte. Ha diagnosticato che soffro di *acne vulgaris*. Dice che è così comune che non la considera nemmeno una malattia, ma uno stato normale dell'adolescenza. Siccome quest'anno non sono stato in Africa, dice che non può essere febbre gialla. Ha detto alla nonna di tirar pure via le tende disinfettanti dalle finestre e dalla porta. La nonna ha detto che avrebbe gradito un consulto. E allora il dottore si è arrabbiato duro. Si è messo a gridare a voce altissima: «Cristo, il ragazzo ha solo un po' di stupidi foruncoli!»

La nonna ha detto che avrebbe reclamato alla mutua, ma il dottore si è messo a sghignazzare e se n'è andato sbattendo la porta. È passato papà, al mattino prima di andare al lavoro, e mi ha portato i quaderni e i libri per fare i compiti, più il cane. Ha detto fra l'altro che se a mezzogiorno non sono fuori del letto mi ammazza a frustate.

In cucina ha avuto una vivace discussione con la nonna. Le ha detto: «Le cose vanno malissimo tra me e Pauline; al momento litighiamo per non avere la custodia di Adrian». Di sicuro è stato un lapsus. Di sicuro mio papà voleva dire *per avere* la mia custodia.

Così, il peggio è capitato: ho la pelle rovinata e i miei si dividono.

Sabato 14 marzo

È ufficiale. Divorziano! Nessuno dei due vuole lasciare la casa così papà va a dormire nello sgabuzzino. Tutto ciò potrebbe avere dei bruttissimi effetti su di me: potrebbe perfino impedirmi di diventare veterinario.

Stamattina la mamma mi ha dato cinque sterline raccomandandomi di non dirlo a papà. Mi sono comprato la crema antibrufoli e il nuovo LP degli Abba.

Ho telefonato al signor Cherry, dicendogli che a causa di problemi famigliari per qualche settimana non potrò lavorare. Il signor Cherry ha detto che sapeva che i miei stavano per divorziare, perché papà ha cancellato l'ordinazione di *Cosmopolitan* della mamma.

Papà mi ha dato cinque sterline raccomandandomi di non dirlo alla mamma. Ne ho spese una parte per comprare carta da lettere e buste color porpora, in modo che la BBC resti impressionata e legga le mie poesie. Il resto finirà in tasca a Barry Kent. Non credo che al mondo ci sia qualcuno più infelice di me. Se non avessi la poesia, a questo punto sarei allo sbando totale.

Sono andato a fare una passeggiata per niente allegra e ho portato al cavallo di Pandora un chilo di mele. Ho pensato una poesia su Blossom. L'ho scritta quando sono tornato nella casa dove attualmente sto.

Blossom, di Adrian Mole, di quasi quattordici anni.

> O cavallino bruno
> Che nel prato mangi mele,
> Le ferite del mio cuore
> Puoi guarirmele tu?
> Accarezzo la groppa
> Dove la cavallerizza
> Pandora, un dì, sedé.
> Addio, cavallo bruno.
> Mi volto e me ne vado,
> Piove e il bagnato piè sguazza nel brago.

L'ho mandata alla BBC. Sulla busta ho scritto URGENTE.

Domenica 15 marzo
Seconda di Quaresima

La casa è tranquilla. Papà è nello sgabuzzino a fumare, la mamma fuma in camera da letto. Non mangiano niente. Il signor Lucas ha telefonato tre volte alla mamma. Lei gli dice soltanto: «Non ancora, è troppo presto». Forse le ha proposto di andare a bere qualcosa al bar per dimenticare i dispiaceri.

Papà si è portato lo stereo nello sgabuzzino. Non fa che sentire i dischi di Jim Reeves e guardare fuori della finestra. Gli ho portato una tazza di tè e mi ha detto: «Grazie, figliolo», con la voce un po' strozzata.

Quando le ho portato il tè, la mamma stava leggendo delle vecchie lettere, di papà, a giudicare dalla calligrafia. «Adrian, che penserai di noi?» m'ha chiesto. Le ho detto che secondo Rick Lemon, l'animatore del circolo giovanile, il divorzio è colpa della società. La mamma ha detto vaffanculo la società.

Ho lavato e stirato mica male la mia uniforme della scuola. Sto diventando bravino a fare i mestieri.

I brufoli sono peggiorati al punto che non ho più il coraggio di scriverne. Non ho più il coraggio di presentarmi a scuola.

Sto leggendo *La maschera di ferro*. Capisco esattamente come doveva sentirsi il protagonista.

Lunedì 16 marzo

Andato a scuola. Era chiusa. Nella mia angoscia mi sono dimenticato che siamo in vacanza. Non volevo tornare a casa, così sono andato a trovare Bert Baxter. Dice che l'assistente sociale è andata a visitarlo e gli ha promesso di procurargli una cuccia nuova per Sabre, ma niente donne di servizio.

Nell'acquaio c'erano i piatti della settimana. Bert dice che me li mette da parte perché li lavo bene.

Mentre li lavavo, ho raccontato a Bert che i miei divorziano. È contrario al divorzio. Lui è stato sposato per trentacinque infernali anni, dice, e perché gli altri dovrebbero scamparla? M'ha raccontato che ha quattro figli che non vanno mai a trovarlo. Due di loro stanno in Australia, ma gli altri due non hanno scuse! Bert mi ha fatto vedere una foto della sua povera moglie, scattata poco prima dell'intervento di chirurgia plastica. Bert mi ha confidato che quando si sono sposati lui faceva lo stalliere e non si è mai accorto che sua moglie assomigliasse a un cavallo finché non è diventato ferroviere. Gli ho chiesto se aveva voglia di rivedere la faccia di un cavallo, e siccome mi ha detto di sì l'ho portato da Blossom.

C'è voluto un secolo per arrivarci. Bert cammina pianissimo e ogni tre passi deve sedersi a riposare sui muretti dei giardini, ma alla fine ce l'abbiamo fatta. Bert mi ha spiegato che Blossom non è un cavallo, ma un pony femmina. Si è messo ad accarezzarla continuando a ripetere: «Ma lo sai che sei una bellezza?» Poi Blossom è andata a fare una corsetta e allora noi due ci siamo seduti nella carcassa della macchina che c'è lì vicino, lui si è fumato una Woodbine, io mi sono mangiato una barretta al cioccolato. Poi, sempre pianissimo, siamo tornati a casa di Bert. Sono andato al supermercato e ho comprato due buste di spezzatino precotto e purè istantaneo. Una volta tanto Bert ha potuto fare un pasto decente. Ci siamo guardati un telefilm, poi Bert mi ha fatto vedere le sue vecchie striglie e le foto della residenza di campagna dove lavorava da ragazzo. Era una casa grandissima. Mi ha detto che è là che l'hanno fatto diventare comunista, ma si è addormentato prima di spiegarmi come mai.

Sono tornato a casa: un deserto. Ho messo su al massimo i miei dischi degli Abba, finché la signora sorda che sta nella casa vicina (dall'altra parte di quella del signor Lucas) non si è messa a picchiare contro il muro.

Martedì 17 marzo
San Patrizio. Giornata festiva in Irlanda del Nord
e nella repubblica d'Irlanda

Ho dato un'occhiatina a *Playmen*. Mi sono misurato l'affare: undici centimetri.

Il signor O'Leary, che abita di fronte a noi, era ubriaco alle dieci del mattino! Il macellaio l'ha cacciato fuori dal negozio perché cantava e importunava le clienti.

Mercoledì 18 marzo

Sia la mamma sia il papà si sono rivolti a un avvocato. Credo che stiano litigando per avere la mia custodia. Come ragazzo conteso potrei anche finire sul giornale. Spero che i brufoli mi passino prima che i reporter comincino a darmi la caccia.

Giovedì 19 marzo

Il signor Lucas ha messo in vendita la sua casa per trentamila sterline!

La mamma dice che con quei soldi si comprerà un'altra casa più grande. Che cazzata!

Se avevo trentamila sterline, io, giravo il mondo in lungo e in largo e facevo esperienza.

Ma non mi porterei dietro il grano vero e proprio, perché ho letto che girare all'estero è pericoloso, per via dei ladri. Mi cucirei invece tremila sterline in traveller's cheque nei calzoni. Prima di partire, però:

a) Manderei tre dozzine di rose rosse a Pandora.

b) Pagherei cinquanta sterline a un mercenario per fare nero Barry Kent.

c) Comprerei la bici da corsa più bella del mondo e passerei due o tremila volte davanti a casa di Nigel.

d) Ordinerei una cassa del miglior cibo per cani, così che la belva sia ben nutrita mentre sono via.

e) Assumerei una governante carina per Bert Baxter.

f) Offrirei a mamma e papà mille sterline (a testa) per restare insieme.

Di ritorno dal mondo sarei alto, abbronzato e pieno di esperienze divertenti e Pandora piangerebbe sul cuscino di notte al pensiero di essersi lasciata scappare l'occasione di diventare la signora Pandora Mole. Diventerei veterinario in tempo record e mi comprerei una fattoria. Trasformerei una stanza in studio, per avere un posto dove fare tranquillamente l'intellettuale.

Non spenderei certo trentamila sterline per comprarmi un'altra casa a schiera.

Venerdì 20 marzo
Primo giorno di Primavera. Luna piena

È il primo giorno di primavera. Il Comune ha fatto potare tutti gli olmi di Elm Tree Avenue.

Sabato 21 marzo

I miei mangiano cibi diversi a ore diverse, per cui sto facendo sei pasti al giorno: mangio con tutti e due, per non far dispiacere a nessuno.

Siccome non riescono a mettersi d'accordo, la tele è in camera mia. Così, la sera tardi mi godo i film dell'orrore sdraiato a letto.

Comincio a nutrire dei sospetti circa i sentimenti di mia mamma nei confronti del signor Lucas. Ho trovato un biglietto che lui le ha mandato: «Pauline, quanto tempo ancora? Per l'amor di Dio, vieni via con me. Tuo per sempre, Bimbo».

Anche se è firmato Bimbo so che è del signor Lucas perché l'ha scritto sul retro della bolletta della luce.

Papà dovrebbe stare all'occhio. Ho messo il biglietto sotto il materasso, vicino alla raccolta di *Playmen*.

Domenica 22 marzo
Terza di Quaresima. Comincia l'ora legale nel Regno Unito

Oggi è il compleanno della nonna. Ha settantasei anni e li dimostra tutti. Le ho portato un bigliettino d'auguri e un vaso con una piantina di una specie di giglio maculato, che si chiama *Dieffenbachia*. Nella terra è piantato un cartellino di plastica con scritto: «La linfa di questa pianta è velenosa, attenzione». La nonna mi ha chiesto chi ha scelto la pianta. Le ho risposto la mamma.

La nonna è felice che i miei divorzino. Dice di aver sempre pensato che mia mamma fosse piuttosto «scostumata», e finalmente è saltato fuori che aveva ragione.

Non mi va di sentire parlare così della mamma. Ho detto che avevo un appuntamento con un amico e sono tornato a casa. La verità è che, in questo periodo, di amici non ne ho, dev'essere perché sono un intellettuale e la gente ha soggezione. Ho cercato sul dizionario che cosa vuol dire «scostumata», effettivamente non è un complimento.

Lunedì 23 marzo

Di nuovo a scuola, che fregatura! Oggi c'era economia domestica. Abbiamo preparato patate al forno con il ripieno di formaggio. Le mie patate erano le più grosse, e siccome alla fine della lezione non erano pronte, ho finito di farle cuocere a casa di Bert Baxter. Lui voleva rivedere Blossom, il che era un po' una menata, visto che ci mette una vita per fare due passi, ma comunque ci siamo andati, tutto è meglio che fare matematica.

Bert si è portato le striglie e ha dato a Blossom una bella ripulita, alla fine era lustra come una biglia. Bert, in compenso, era senza fiato, così si è seduto sulla carcassa della macchina e si è fumato una Woodbine. Poi siamo tornati a casa sua.

Da quando ha la cuccia nuova e pulita, Sabre ha un look migliore e anche la casa, visto che Sabre resta fuori. Bert mi ha detto che l'assistente sociale gli ha consigliato di trasferirsi all'ospizio, dove potrà essere seguito da personale qualificato, ma Bert ha raccontato una balla all'assistente sociale: le ha detto che suo nipote viene tutti i giorni a vedere come sta. L'assistente sociale controllerà e magari io finirò nei guai per false generalità!!! Quante preoccupazioni, non ne posso più.

Martedì 24 marzo

Ieri notte, sul tardi, ho visto la mamma salire sull'auto del signor Lucas assieme a lui. Andavano in qualche posto speciale perché la mamma era scollata e scintillante di lustrini. Aveva davvero l'aria un po' scostumata. Anche il signor Lucas si era messo l'intappo della festa e un casino di ferraglia d'oro, per essere un vecchietto, bisogna ammettere che sa intapparsi.

Se papà curasse un po' di più il suo aspetto, nulla di tutto questo succederebbe. È perfettamente logico che qualunque donna preferisca uno ben vestito a uno come papà, che non si fa mai la barba, ha sempre vestiti vecchi e spiegazzati, e niente braccialetti.

Ho deciso di stare alzato per vedere a che ora torna la mamma.

24.00. La mamma per ora non è tornata.

2.00. Nessuna traccia della mamma.

Mercoledì 25 marzo
Annunciazione della B.V. Maria

Siccome mi sono addormentato, non so a che ora sia tornata la mamma. Papà dice che è andata al cenone di Natale dell'assicurazione e poi al ballo. In marzo! Andiamo, papà! Non sono mica nato ieri.

Oggi, a educazione fisica, siamo andati in piscina. L'acqua era un gelo e gli spogliatoi una palude viscida. Spero che mi venga il piede d'atleta, pur di non ripetere quell'esperienza.

Giovedì 26 marzo

Barry Kent è stato fermato dalla polizia perché andava in giro di sera su una bici senza il fanalino di dietro. Spero che lo mandino al riformatorio.

Venerdì 27 marzo

Pandora e Nigel si sono lasciati! Tutta la scuola ne parla. È la migliore notizia che ho ricevuto da un secolo.

Sto leggendo *Madame Bovary*, il romanzo di un'altra donna scostumata.

Sabato 28 marzo
Ultimo quarto

Nigel se n'è andato da poco: ha il cuore spezzato. Ho cercato di consolarlo. Gli ho detto che i sassolini sulla spiaggia e i pesci nel mare sono infiniti, ma capivo che non mi stava a sentire.

Gli ho parlato dei miei sospetti a proposito della mamma e del signor Lucas, mi ha detto che la storia va avanti da un pezzo. Pare che tutti lo sapessero tranne me e papà!

Abbiamo parlato un bel po' di bici da corsa, poi Nigel è andato a casa a pensare a Pandora.

Domani è la festa della Mamma. Non so se regalarle qualcosa o no. Ho solo sessantotto pence.

Domenica 29 marzo
Quarta di Quaresima. Festa della Mamma

Ieri sera papà mi ha dato tre sterline dicendo: «Comprale qualcosa di decente, figliolo, potrebbe essere l'ultima volta». Non avevo nessuna voglia di arrivare fino in centro per lei, così sono andato al chiosco del signor Cherry e le ho comprato un profumo (Magia Nera) e un biglietto d'auguri prestampato con scritto: «A una Mamma meravigliosa».

I fabbricanti di biglietti d'auguri devono essere convinti che tutte le mamme siano meravigliose, perché non ce n'è neanche uno senza la parola «meravigliosa» da qualche parte. Avevo voglia di cancellare meravigliosa e metterci scostumata ma non l'ho fatto. Ho firmato: «tuo figlio Adrian» e stamattina gliel'ho dato. Mi ha detto: «Adrian, non dovevi». Aveva ragione, non dovevo.

Adesso devo smettere di scrivere. La mamma ha organizzato «una discussione civile» con il signor Lucas e papà. Naturalmente io non sono invitato! Ho già preparato una sedia per ascoltare da dietro la porta.

Lunedì 30 marzo

Ieri pomeriggio è scoppiato un casino tremendo. Papà e il signor Lucas si sono picchiati in giardino, quello che dà sulla strada, con tutti i vicini che stavano a guardare. La mamma ha cercato di dividerli ma tutti e due le dicevano: «Non metterti in mezzo, tu!» Il signor O'Leary faceva il tifo per papà: «Dagli un cazzotto anche per me, a quel puzzone!» gridava. La signora O'Leary, intanto, urlava delle cose terribili alla mamma. A quanto pare, la teneva d'occhio da Natale. La discussione civile era rimasta tale fino alle cinque, quando papà ha scoperto da quanto tempo la mamma e il signor Lucas uscivano insieme.

Verso le sette è ripresa la discussione civile, ma quando la mamma ha comunicato che partiva per Sheffield con Lucas, papà è ridiventato incivile e ha ricominciato a menare le mani. Il signor Lucas è scappato in giardino, ma papà lo ha placcato con una mossa di rugby e hanno ricominciato a darsele vicino al cespuglio di alloro. Era veramente eccitante. Io vedevo tutto benissimo dalla finestra. La signora O' Leary ha detto: «Mi dispiace solo per il bambino» e i vicini hanno alzato lo sguardo e mi hanno visto alla finestra. Allora ho fatto la faccia triste, da vittima. Penso che questa esperienza non mancherà di provocarmi un trauma, in futuro. Per adesso mi sento benissimo, ma non si sa mai.

Martedì 31 marzo

La mamma è andata a Sheffield con il signor Lucas. Ha dovuto guidare lei perché il signor Lucas aveva gli occhi neri e non ci vedeva bene. Ho informato la segretaria della scuola della fuga improvvisa della mamma. La segretaria è stata gentilissima e mi ha dato un modulo, che papà dovrà compilare. Siccome adesso siamo una famiglia con un genitore solo avrò diritto ai pasti gratis alla mensa.

Nigel ha chiesto a Barry Kent di non minacciarmi più, almeno per qualche settimana. Barry Kent ha detto che ci deve pensare.

Mercoledì 1° aprile
Occhio ai pesci!

Stamattina ha telefonato Nigel facendo finta di essere quello delle pompe funebri che chiedeva quando doveva venire a prendere il cadavere. Ha risposto al telefono papà. Devo dire che non ha proprio senso dell'umorismo.

Mi sono fatto un sacco di risate dicendo alle ragazze che gli spuntava la sottoveste dalla gonna. Saltavano su come galline, anche se non era vero. Durante l'ora di disegno Barry Kent ha portato la polverina che fa grattare e l'ha messa nelle pantofole della Fossington-Gore. Un'altra senza il minimo senso dell'umorismo. Barry Kent me ne ha versato un po' nel colletto. Non è mica divertente, devo dire. Ho dovuto andare dalla bidella a farmela togliere. Che panico!

La casa è in condizioni di estremo squallore perché papà non fa i mestieri. Il cane guaisce perché la mamma non c'è.

Sono nato esattamente tredici anni e trecentosessantaquattro giorni fa.

Giovedì 2 aprile

Oggi compio quattordici anni. Papà mi ha regalato una tuta da ginnastica e un pallone da football. (È completamente ignaro delle mie vere necessità.)

La nonna Mole mi ha regalato un libro che si chiama *Carpenteria per ragazzi* (no comment). Il nonno Sugden una sterlina dentro una busta (il solito esagerato!) Il miglior regalo, dieci sterline da parte della mamma e cinque da parte del signor Lucas (per mettersi la coscienza a posto).

Nigel mi ha mandato un bigliettino scherzoso. «Chi è che è sexy, bello e intelligente?» c'era scritto di fuori. E dentro: «Be', non certo tu, amico mio!!!» Nigel ci ha aggiunto: «Senza offesa, socio». Nella busta c'erano anche dieci pence. Bert Baxter mi ha spedito un cartoncino d'auguri a scuola, perché non sapeva il mio indirizzo. La sua calligrafia è bellissima, piena di svolazzi. Sulla copertina c'era un alsaziano. Dentro Bert aveva scritto: «I migliori auguri da Bert e Sabre. PS: Il lavandino è ingorgato». Nella busta c'era un buono-libro da dieci scellini. Era scaduto nel dicembre del 1958 ma ho apprezzato il pensiero.

E così, alla fine, ho quattordici anni! Mi sono dato una bella guardata allo specchio, stasera, e credo di aver distinto una certa qual maturità d'espressione (a parte i maledetti brufoli).

Venerdì 3 aprile

Ieri ho preso il massimo voto nel compito di geografia: Sì! Mi hanno anche fatto i complimenti per la presentazione ordinata della ricerca. Non c'è nulla che mi sfugga sull'industria norvegese del cuoio. Barry Kent, invece, sembra trarre sublimi soddisfazioni dall'ignoranza. Quando la signorina Elf gli ha chiesto dov'era la Norvegia in rapporto all'Inghilterra, ha risposto: «Cugini di terzo grado». Mi spiace dover annotare che anche Pandora è scoppiata a ridere con tutta la classe. Solo la signorina Elf e io siamo rimasti composti. Ho sgorgato il lavandino di Bert Baxter: era pieno di ossicini e foglie di tè. Ho detto a Bert che gli converrebbe usare le bustine. In fondo siamo nel ventesimo secolo! Bert dice che proverà. Gli ho detto che la mamma è scappata con un assicuratore.

Sabato 4 aprile
Luna nuova

Oggi io e papà abbiamo fatto i mestieri. Non avevamo scelta, domani viene la nonna a prendere il tè da noi. Nel pomeriggio abbiamo fatto una spedizione punitiva al supermercato Sainsbury. Papà ha preso un carrello che non sterzava. Faceva anche un cigolio bestiale, come se qualcuno stesse torturando dei topi. Avevo vergogna a girare con quel carrello, papà ha scelto solo cibi tossici. Ho dovuto pestare i piedi per fargli comprare della frutta fresca e dell'insalata. Alla cassa non ha trovato la carta di credito e la cassiera non accettava assegni. Per chiudere la discussione è dovuto intervenire il direttore. Sono stato obbligato a prestare a papà una parte dei soldi che ho ricevuto in regalo per il mio compleanno (adesso mi deve otto sterline e trentotto pence e mezzo). Gli ho fatto scrivere un'obbligazione sul retro dello scontrino.

Ma devo ammettere che il Sainsbury è il supermercato più figo. Attira una clientela di classe. Ho visto un vicario che sceglieva la carta igienica: ha preso una confezione da quattro rotoli di carta rosa confetto a tre strati. Deve avere soldi da sbatter via. Poteva prendere quella bianca semplice e dare la differenza ai poveri. Che ipocrita!

Domenica 5 aprile

Stamattina Nigel è passato a trovarmi. È fuori di testa per Pandora. Ho cercato di distrarlo parlandogli dell'industria norvegese del cuoio, ma proprio non gli interessava.

All'una ho tirato giù papà dal letto. Non vedo perché dovrebbe poltrire tutto il giorno mentre io sono in piedi a sfaccendare. Si è alzato ed è uscito a lavare la macchina. Sotto il sedile di dietro ha trovato un orecchino della mamma e si è seduto a guardarlo per un'ora. Ha detto: «Adrian, non ti manca la mamma?» Gli ho risposto: «Sì, certo, ma la vita deve continuare». Allora lui ha detto: «Non vedo perché». Ho pensato che magari vuole suicidarsi e sono andato in bagno a toglier di mezzo tutti gli oggetti pericolosi.

Finito di mangiare (roast-beef ancora mezzo surgelato) stavo lavando i piatti quando l'ho sentito urlare dal bagno chiedendo dove cavolo era il rasoio. Gli ho mentito: «Non lo so». Poi ho tolto tutti i coltelli dal cassetto della cucina. Ho cercato il rasoio a pile, ma erano scariche, perdevano, ed erano diventate tutte verdi.

Sono di mentalità aperta, ma il linguaggio di mio padre ha superato ogni limite: e tutto perché non poteva farsi la barba! Il tè è stato penoso. La nonna ha continuato a dire cose terribili sulla mamma, mentre papà continuava a ripetere che sentiva la sua mancanza. Era come se io fossi stato un fantasma. Davano più retta al cane che a me!

La nonna ha sgridato papà perché non si era fatto la barba. «Forse tu ti diverti a sembrare un comunista, ma io per niente». Ha detto che perfino in trincea, a Ypres, il nonno si faceva la barba tutti i giorni. A volte doveva cacciare via i topi che gli mangiavano il sapone. Diceva che anche nella bara il nonno è stato rasato dal becchino, e che se si sbarbano i morti, i vivi non hanno proprio nessuna scusa.

Quando la nonna è tornata a casa, eravamo contenti tutti e due.

Lunedì 6 aprile

Ho ricevuto una cartolina dalla mamma. Dice che staranno da amici finché non *troveranno* casa. Dopo di che, potrò andare a *trovarli* per un intero week-end.

Non l'ho fatta vedere al papà.

Martedì 7 aprile

La mia diletta Pandora esce con Craig Thomas. Col cavolo che ti darò un'altra barretta al cioccolato, Thomas!

Barry Kent si è beccato una nota perché ha disegnato una donna nuda. La professoressa di disegno dice che gli ha fatto la nota non per il soggetto, ma per la sconvolgente ignoranza dei più elementari fatti biologici, della quale i genitori dell'artista devono assolutamente essere informati. Io, invece, ho fatto un bel disegno dell'Incredibile Hulk che massacra Craig Thomas. La signora Fossington-Gore dice che è la possente espressione di un'ossessione monolitica.

Ha telefonato la mamma. Aveva una voce strana, come se fosse raffreddata. Continuava a ripetere: «Un giorno capirai, Adrian». In sottofondo si sentiva slurp, slurp. Credo che fosse quel verme di Lucas, che la baciava sul collo. Ho visto che lo fanno, al cinema.

Mercoledì 8 aprile

Papà non ha voluto farmi la giustificazione per saltare educazione fisica, così ho passato quasi tutta la mattina a tuffarmi in piscina, strizzato in una tuta di gomma, a tirar su un mattone dal fondo. Quando sono tornato a casa ho fatto il bagno, ma puzzo ancora di cloro. Non capisco proprio l'utilità di una simile lezione. Quando sarò grande non andrò mica a spasso in riva ai fiumi con una tuta di gomma, no? E chi può essere così idiota da buttarsi nel fiume per tirar su un vecchio mattone? Di mattoni se ne trovano dappertutto.

Giovedì 9 aprile

Papà e io abbiamo parlato un bel po', ieri sera. Mi ha chiesto con chi preferirei stare, con lui o con la mamma? Con tutti e due, ho risposto. Mi ha detto che è diventato amico di una sua collega, Doreen Slater. Dice che un giorno me la farà conoscere. Ci risiamo! Ecco quello che voleva suicidarsi! L'uomo dal cuore infranto!

Venerdì 10 aprile

Ho telefonato alla nonna per dirle di Doreen Slater. Non è stata troppo contenta: dice che dal nome le sembra una persona ordinaria e credo di pensarla come lei.

Ho preso in prestito in biblioteca *Aspettando Godot*. Sono un po' contrariato perché è un testo teatrale. Ma lo leggerò lo stesso, da qualche tempo sto trascurando troppo il cervello.

Nigel mi ha chiesto se questo week-end vado da lui: i suoi genitori sono invitati a un matrimonio a Croydon. Papà mi ha dato il permesso. Sembrava anzi piuttosto contento. Domani mattina allora vado da Nigel.

Sabato 11 aprile
Primo quarto

Nigel è molto fortunato. La sua casa è assolutamente fantastica! È tutto moderno. Non so che cosa penserà della nostra, abbiamo dei mobili che hanno più di cent'anni!

La sua camera è grandissima e ha lo stereo, la tele a colori, il registratore, il trenino elettrico, la chitarra elettrica e l'amplificatore. Sopra il letto ci sono i faretti. Pareti nere. Tappeto bianco. Trapunta con su le macchine da corsa di formula 1. Ha un sacco di numeri arretrati di *Playmen*, che abbiamo guardato un po', poi Nigel ha fatto una doccia fredda mentre io preparavo la minestra e tagliavo il pane francese. Ci siamo fatti quattro risate su *Aspettando Godot*. A Nigel gli è venuto un attacco isterico quando gli ho detto che per me Vladimir ed Estragon sembravano nomi di pillole contraccettive.

Ho fatto un giro sulla bici da corsa di Nigel. Adesso ne voglio una anch'io, più di ogni altra cosa al mondo. Se fossi costretto a scegliere tra Pandora e una bici da corsa, sceglierei una bici. Mi dispiace, Pandora, ma è così.

Siamo andati in rosticceria a mangiare il secondo. Merluzzo, patatine fritte, cipolle stufate, cetriolini e piselli. Niente costava troppo per Nigel. Ha un sacco di soldi in tasca. Abbiamo fatto un giretto, poi siamo tornati a casa e abbiamo guardato alla tele *Il mostro spaziale colpisce ancora*. Il mostro dagli occhi da insetto mi ricordava il preside Scruton e l'ho detto a Nigel. Gli è venuto un altro attacco isterico. Credo di avere un buon talento per divertire. Potrei cambiare idea e, invece di fare il veterinario, scrivere dei programmi umoristici per la televisione.

Alla fine del film Nigel dice: «Ci beviamo un bicchiere prima di andare a letto?» Poi va all'angolobar di fòrmica in fondo al salotto e versa due grossi whisky e soda. Io non avevo mai assaggiato il whisky e non lo berrò mai più. Come fa a piacere alla gente? Se fosse nella bottiglia dello sciroppo, lo verserebbero giù dal lavandino.

Non mi ricordo quando sono andato a letto, ma devo esserci andato, visto che sto scrivendo il diario seduto sul letto dei genitori di Nigel.

Domenica 12 aprile
Domenica delle Palme

Questo week-end con Nigel mi ha aperto gli occhi. Senza saperlo, negli ultimi quattordici anni ho vissuto in povertà. Ho dovuto accontentarmi di una casa fatiscente, di cibo inadeguato, di mance da fame. Se con il suo attuale salario mio padre non è in grado di assicurarmi un tenore di vita decente, che cominci a cercarsi un lavoro migliore. Oltretutto, non fa che lamentarsi di quant'è difficile piazzare le stufette. Il papà di Nigel ha lavorato come uno schiavo per creare un ambiente moderno per la sua famiglia. Forse, se papà avesse fatto fare un angolo-bar di fòrmica in salotto, la mamma sarebbe ancora con noi. Invece no! Mio padre non fa che vantare i suoi mobili secolari.

Sì! Invece di vergognarsi di quelle anticaglie, è orgoglioso di quella legnaccia crepata. Papà dovrebbe prendere esempio dalla grande letteratura. La signora Bovary è fuggita da quell'idiota del dottor Bovary perché lui non era in grado di soddisfare le sue necessità materiali.

Lunedì 13 aprile

Ho ricevuto un biglietto del signor Cherry che mi chiede quando posso tornare al lavoro. Gli ho risposto che, dato l'abbandono di mia madre, sono ancora fuori di testa. Questo è vero. Ieri per sbaglio mi sono messo le calze scompagnate, una rossa e una verde. Devo cercare di resistere con tutte le mie forze. Sennò potrei anche finire al manicomio.

Martedì 14 aprile

Ho ricevuto una cartolina da mia madre. Ha trovato casa e mi ha invitato ad andare a trovare lei e Lucas il più presto possibile.

Ma perché non ha scritto una lettera come tutte le persone normali? Perché il postino deve sapere gli affari miei? Il suo nuovo indirizzo è: President Carter Walk 79A, Sheffield.

Ho chiesto a papà se posso andare; ha detto di sì, «a patto che ti mandi lei i soldi del treno». Così le ho scritto di spedirmi undici sterline e ottanta.

Mercoledì 15 aprile

Sono andato al circolo giovanile con Nigel. Ci siamo divertiti un sacco. Abbiamo giocato a ping-pong fino a spaccare tutte le palline. Poi a calcetto. L'ho battuto quindici a tredici. Nigel si è arrabbiato e ha detto che l'ho battuto soltanto perché aveva il portiere fatto su con lo scotch, ma sono palle.

Una banda di punk si è lasciata andare a commenti pesanti a proposito dei miei pantaloni scampanati, ma Rick Lemon, il gestore, è intervenuto e ci ha fatto una conferenza sui gusti personali. Siamo stati tutti d'accordo che ognuno ha il diritto di vestirsi come cavolo vuole. Comunque chiederò a papà di comprarmi dei calzoni nuovi. Oggi non sono molti i quattordicenni che portano pantaloni scampanati, e io non voglio certo farmi notare.

Barry Kent ha cercato di entrare dalla porta di sicurezza per non pagare i cinque pence dell'ingresso. Rick Lemon l'ha beccato e l'ha cacciato fuori, sotto l'acqua. Perfetto. Devo ancora a Barry due sterline di tangente.

Giovedì 16 aprile

Ho ricevuto un bigliettino d'auguri per il mio compleanno dalla zia Susan: due settimane di ritardo! Lei si dimentica sempre il giorno giusto. Papà dice che è per lo stress del suo lavoro, ma io non capisco che stress ci sia nel fare il secondino nelle carceri. In fondo si tratta solo di aprire e chiudere delle porte a chiave. Dice che mi ha mandato un pacco regalo, con un po' di fortuna lo riceverò a Natale. Ah! Ah!

Venerdì 17 aprile
Venerdì Santo

Povero Gesù, che brutto momento dev'essere stato! Io non avrei mai il coraggio di fare altrettanto.

Il cane ha calpestato le focaccine della Santa Croce. Non ha nessun rispetto per le tradizioni.

Sabato 18 aprile

Ho ricevuto il pacco della zia Susan. È un porta-spazzolino da denti ricamato fatto da una detenuta! Si chiama Grace Pool. Dice la zia Susan che dovrei scriverle per ringraziarla! È già abbastanza brutto che la sorella di mio papà lavori nella prigione di Holloway, e adesso mi fa scrivere alle prigioniere! Grace Pool potrebbe essere un'assassina, o peggio!

Sono sempre in attesa delle undici sterline e ottanta. A quanto ne deduco la mamma non sta morendo dalla voglia di vedermi.

Domenica 19 aprile
Pasqua di Resurrezione

Oggi Gesù è evaso dal Santo Sepolcro. Ecco dove ha preso l'idea Houdini.

Venerdì papà si è dimenticato di andare in banca e adesso siamo senza un soldo. Ho dovuto portare indietro i vuoti delle bibite al droghiere per comprarmi l'uovo di Pasqua. Ho guardato un film alla tele e poi sono andato a trovare la nonna. Un tè fantastico! Ha fatto una torta tutta coperta di pulcini di zucchero filato. Un pulcino è andato di traverso a papà, e abbiamo dovuto dargli una montagna di pacche sulla schiena. Riesce sempre a rovinare tutto. Non ha il minimo senso del decoro sociale. Dopo il tè, sono andato a trovare Bert Baxter. È stato contento di vedermi e io mi sono sentito un po' in colpa perché ultimamente l'ho trascurato. Mi ha dato una pila di giornaletti. Si chiamano *Eagle*, e ci sono delle bellissime foto. Li ho letti fino alle tre di notte. Noi intellettuali abbiamo degli orari antisociali. Ci fa bene.

Lunedì 20 aprile
Giornata festiva nel Regno Unito (tranne la Scozia)

Papà è arrabbiatissimo perché la banca è chiusa anche oggi. È rimasto senza sigarette. Gli farà bene. Nessuna traccia delle undici sterline e ottanta.

Ho scritto a Grace Pool. Sta nel raggio D. Ecco la lettera:

Cara signorina Pool,
    grazie del portaspazzolino ricamato che mi ha fatto. È molto carino. Cordiali saluti.
Adrian

Martedì 21 aprile

Stamattina papà era il primo della coda fuori della banca. Quando è entrato il cassiere gli ha detto che non poteva dargli neppure un centesimo, perché sul suo conto non c'erano più soldi. Papà ha chiesto di parlare con il direttore. Mi vergognavo da matti, così mi sono seduto dietro una pianta di plastica ad aspettare che la finissero di gridare. Il direttore, il signor Niggard, è venuto a calmare papà. Gli ha detto che gli farà temporaneamente credito. Papà aveva l'aria patetica, continuava a ripetere che «era colpa di quel dannato conto del veterinario». Il signor Niggard faceva la faccia comprensiva. Forse anche lui ha un cane scemo. Non può essere che siamo noi gli unici, no?

Le undici sterline e rotti sono arrivate con il secondo giro della posta. Domani mattina vado a Sheffield. Non ho mai preso il treno da solo, finora. Senza dubbio, ultimamente sto aprendo le ali.

Mercoledì 22 aprile

Papà mi ha dato un passaggio fino alla stazione. Mi ha anche dato qualche consiglio per il viaggio, specialmente quello di non comprare il pasticcio di maiale che vendono nel vagone ristorante.

Sono salito sul treno e mi sono affacciato al finestrino mentre papà rimaneva sul marciapiede. Continuava a guardare l'orologio. Non mi veniva in mente niente da dire e neanche a lui. Alla fine ho detto: «Non dimenticarti di dar da mangiare al cane, eh?» Papà ha fatto una risata a bocca storta, e in quella il treno si è mosso. Allora l'ho salutato e sono andato a cercarmi un posto in uno scompartimento per non fumatori. Tutti gli schifosi fumatori erano pigiati fra loro a stabaccare e tossire. Avevano un aspetto orribile e facevano un gran rumore e ho attraversato il loro vagone trattenendo il respiro. I non fumatori avevano un'aria più tranquilla.

Ho trovato un posto libero vicino al finestrino di fronte a una vecchia signora. Volevo guardare il panorama o leggermi il mio libro ma la vecchia pettegola si è messa a parlarmi dell'isterectomia di sua figlia e a dirmi cose che non avevo nessuna voglia di sentire. E bla, bla, bla, bla! Meno male che è scesa a Chesterfield. Ha lasciato nello scompartimento una rivista femminile e così mi sono fatto quattro risate a leggere le pagine dei consigli e il racconto rosa. Poi il treno si è fermato a Sheffield. La mamma ha cominciato a urlare appena mi ha visto. Era un po' imbarazzante ma anche piuttosto bello. Alla stazione abbiamo preso il taxi, Sheffield è una bella cittadina, praticamente uguale alla mia. Non ho visto neanche una fabbrica di posate d'acciaio inossidabile. Immagino che Margaret Thatcher le abbia già fatte chiudere tutte.

Lucas era in giro a piazzare le sue polizze del cavolo e così ho avuto la mamma tutta per me fino alle otto di sera. L'appartamento è bestiale, moderno ma piccolissimo. Si sentono tossire i vicini. La mamma è abituata meglio. Sono stanchissimo e smetto di scrivere. Vorrei che la mamma tornasse a casa. Mi ero dimenticato com'è simpatica. Spero che papà si ricordi di dare da mangiare al cane.

Giovedì 23 aprile
San Giorgio

Sono andato con la mamma a fare un giro per negozi. Abbiamo comprato una lampada Habitat per la sua camera da letto e un paio di pantaloni nuovi per me. Sono proprio belli, aderentissimi.

Siamo andati a mangiare al ristorante cinese e poi a vedere un film dei Monty Python sulla vita di Gesù. Un po' forte, mi sentivo in colpa a ridere.

Lucas era in casa quando siamo tornati. Aveva preparato la cena ma gli ho detto che non avevo fame e sono andato in camera mia. Mi andrebbe di traverso la roba che ha toccato quel verme! Poi ho telefonato a papà da una cabina: prima che cadesse la linea ho fatto in tempo a dirgli solo di dare da mangiare al cane.

Sono andato a letto presto per colpa delle smancerie di quel Lucas. Chiama la mamma «Paulie» quando sa benissimo che il suo nome è Pauline.

Venerdì 24 aprile

Ho aiutato la mamma a pitturare la cucina. La fa nocciola e panna, come i gabinetti della mia scuola. Un vero schifo. Lucas voleva regalarmi un coltellino svizzero. Crede di ridiventarmi simpatico comprandomi! Eh, no, Lucas! Noi Mole non dimentichiamo. Siamo come la Mafia, chi fa uno sgarro prima o poi paga. E quello che ci ha rubato la moglie e la madre un bel giorno se ne accorgerà. Mi spiace, però, perché era un bel coltello, con un sacco di aggeggi e di attrezzi utilissimi.

Sabato 25 aprile

Il sabato Lucas non lavora, e quindi ho dovuto sopportare la sua lascivia tutto il giorno. Non fa che prenderle la mano, baciarla o passarle il braccio intorno alle spalle, non so come faccia la mamma a sopportarlo, io diventerei matto.

Nel pomeriggio Lucas ci ha portato a fare un giro in macchina, in campagna ci sono un sacco di colline abbastanza alte. Faceva freddo, così sono rimasto in macchina a guardare la mamma e Lucas che davano spettacolo. Grazie a Dio, non c'era altro pubblico. Non è un bel vedere, due vecchietti che corrono ridendo su per la collina.

Al ritorno ho fatto il bagno, ho pensato al cane sono andato a dormire.

Domani torno a casa.

3.00. Ho appena sognato di pugnalare Lucas con lo stuzzicadenti del nuovo coltellino svizzero. È il più bel sogno che mi sia capitato di fare da un bel pezzo.

Domenica 26 aprile

14.10. Il mio breve soggiorno a Sheffield sta per concludersi. Siccome prendo il treno delle 19.10 ho soltanto quattro ore di tempo per fare le valigie. Aveva ragione mio papà che non me ne servivano due, ma è meglio andare sul sicuro piuttosto che rimpiangere qualche vestito. Non dovrebbe spiacermi di lasciare questo sordido appartamento con i vicini che tossiscono, ma è naturale che sia un po' addolorato per l'ostinazione della mamma, che non vuole assolutamente tornare a casa con me.

Le ho detto che il cane guaisce dalla mattina alla sera perché sente la sua mancanza, ma lei ha telefonato a papà e lui come un fesso le ha detto che il cane si era appena sbafato due scatole di Manzocan e una di Vincibau.

Le ho detto di papà e Doreen Slater, sperando di farla ingelosire, ma si è limitata a fare una risatina: «Ah, Doreen, è sempre di ronda?» Insomma, ho fatto del mio meglio per indurla a ritornare ma devo riconoscere la sconfitta.

23.00. Il viaggio di ritorno è stato un incubo; gli scompartimenti per non fumatori erano tutti pieni e sono stato obbligato a coabitare con pipe, sigari e sigarette. Ho fatto venti minuti di coda per una tazzina di caffè, al vagone ristorante. Quando sono arrivato al banco il caffè era finito. Sono tornato nel mio scompartimento, al mio posto si era seduto un soldato. Ho trovato un altro sedile libero solo di fronte a un pazzo, che mi ha raccontato di avere nella testa una radio controllata da Fidel Castro.

Papà è venuto a prendermi alla stazione con il cane, che mi è saltato al collo, ha sbagliato mira e per poco non è finito sotto il diretto di Birmingham delle 21.23.

Papà mi ha detto che Doreen Slater è venuta a prendere il tè da lui. A giudicare dallo stato della casa, non ha preso soltanto il tè ma ha fatto colazione, pranzo e cena! Non ho mai visto quella donna, ma dalle tracce ho dedotto che ha i capelli rosso chiaro, il rossetto arancione e dorme dalla parte sinistra del letto.

Che bel ritorno a casa!

Papà mi ha detto che Doreen mi ha stirato l'uniforme della scuola per domani mattina.

Che cosa pensava, che lo ringraziassi?

Lunedì 27 aprile

La signora Bull, l'insegnante di economia domestica, ci ha insegnato a lavare i piatti. Geniale! Non sa che sono già il campione del mondo! Barry Kent ha rotto un piatto infrangibile ed è stato cacciato fuori. L'ho visto fumare tranquillamente in corridoio. Il furbino! Mi sono sentito in dovere di informare la signora Bull. Barry Kent è stato spedito da Scruton, che gli ha confiscato le Benson & Hedges.

Nigel dice che ha visto Scruton fumarsele in mensa professori, sarà vero?

Pandora e Craig Thomas stanno dando scandalo ostentando la loro sessualità in cortile. La signorina Elf ha dovuto picchiare sui vetri della sala professori per farli smettere di baciarsi.

Martedì 28 aprile

Stamattina Scruton ha parlato in assemblea della crisi morale del Paese, ma in realtà alludeva a Pandora e Craig Thomas. Il discorso però a loro non ha fatto nessun effetto, perché mentre cantavamo l'inno nazionale ho visto chiaramente che si scambiavano degli sguardi lubrichi.

Mercoledì 29 aprile

Papà è preoccupato, le stufette elettriche non si vendono più. Lui dice che questa è la dimostrazione che i consumatori non sono affatto stupidi come si crede. Non ne posso più di vederlo ciondolare per casa, la sera. Gli ho consigliato di iscriversi a un club o di scegliersi un hobby, ma lui preferisce crogiolarsi nell'autocommiserazione. Ride solo quando alla tele c'è la pubblicità delle stufette. Allora sì che se la ride.

Giovedì 30 aprile

Oggi a scuola sono stato gravemente minacciato. Barry Kent mi ha gettato la ventiquattr'ore sopra la porta di rugby. Poi m'ha detto che se non trovo in fretta le due sterline che gli devo mi ci attacca in cima, alla porta di rugby. Non posso neanche chiederle a papà, che sta assai peggio di me.

Venerdì 1° maggio

Stamattina presto ha telefonato la nonna per dirmi queste parole di verità: «Finché maggio non si allontana, meglio tenersi la maglia di lana».

Sono felice di annotare che Barry Kent e la sua banda sono stati cacciati via dal circolo giovanile «Lontani dalla strada». Ciò significa che adesso sono sulla strada. Che panico! Avevano riempito d'acqua un preservativo e l'avevano gettato addosso al gruppo delle ragazze per farle urlare. Pandora ha bucato il coso con uno spillo e Rick Lemon, che usciva dal suo ufficio, è scivolato sulla pozzanghera. Rick era molto incazzato, perché si è macchiato i pantaloni gialli. Pandora ha aiutato Rick a cacciar fuori la banda dal circolo, era incavolata in un modo bestiale. Credo che vincerà la medaglia: per il membro più intraprendente dell'anno.

Sabato 2 maggio

Ho ricevuto una lettera da Grace Pool! Eccola:

Caro Adrian,
    grazie per la tua incantevole lettera di ringraziamento. Ha illuminato di gioia la mia giornata. Tutte le ragazze mi chiedono del mio corteggiatore. Uscirò in libertà vigilata il 15 giugno, potrò venirti a trovare? Tua zia è una delle meglio se-

condine, ecco perché mi sono sdebitata con il portaspazzolino. Ci vediamo il 15, allora.

La tua appassionata
Grace Pool

PS. Fui condannata innocente per incendio doloso ma è acqua passata, ormai.

Oh, mio Dio!

Domenica 3 maggio
Seconda dopo Pasqua

Non c'è più niente nel freezer, niente in dispensa e solo un po' di pane secco nel cestello. Forse papà i soldi li mangia. Sono stato obbligato ad andare dalla nonna per non morire di fame. Alle quattro ho provato uno di quei rari momenti di felicità che si ricordano per tutta la vita. Ero seduto di fronte al finto caminetto della nonna, di quelli con dentro il fuoco elettrico, e mangiavo un toast gocciolante leggendo *News of the World.* Sul quarto programma la radio dava una bella commedia sui campi di concentramento e le torture. La nonna era addormentata e il cane stava buono. All'improvviso ho provato quella meravigliosa indescrivibile sensazione. Forse sto diventando religioso.

Credo che in me alberghi il destino di un santo o di un grande missionario.

Ho telefonato alla zia Susan ma era di servizio a Holloway. Ho lasciato detto alla sua amica Gloria di farmi richiamare d'urgenza.

Lunedì 4 maggio
Giornata festiva nel Regno Unito. Luna nuova

La zia Susan ha telefonato e mi ha detto che Grace Pool non sarà più messa in libertà vigilata, perché ha dato fuoco al laboratorio di ricamo, distruggendo un quintale di portaspazzolini.

Che sollievo!

Martedì 5 maggio

Andando a scuola ho incontrato il postino, che mi ha comunicato che sabato la mamma verrà a trovarmi. Ho una mezza idea di denunciarlo all'Ispettore Generale per violazione della corrispondenza privata!

Anche papà aveva già letto la cartolina postale quando sono tornato da scuola. Aveva l'aria tutta contenta e ha cominciato a spazzare il soggiorno, poi ha telefonato a Doreen Slater, dicendole che quella mezza idea per sabato era saltata. I grandi non fanno altro che dire agli adolescenti di non parlare in gergo e poi loro si esprimono nel modo più fumoso possibile. Doreen Slater ha cominciato a gridare nel telefono. Papà si è messo a gridare anche lui che «non voleva una relazione di lungo periodo», che «l'aveva detto chiaro fin dall'inizio» e che «nessuno poteva sostituire la sua Pauline». Doreen Slater è andata avanti ancora un pezzo a strillare, finché papà ha riappeso. Il telefono si è messo a suonare ininterrottamente, alla fine papà ha staccato la spina. Poi ha fatto i mestieri fino alle due di notte. Ed è solo martedì! In che stato sarà, sabato mattina? Il povero scemo è convinto che la mamma torni per sempre.

Mercoledì 6 maggio

Sono fiero di annotare che sono stato nominato capomensa. I miei doveri consistono nel sorvegliare che la refezione dei miei compagni avvenga regolarmente.

Giovedì 7 maggio

Bert Baxter ha telefonato a scuola: voleva che io lo richiamassi subito. Il signor Scruton non me lo ha permesso, dice che il telefono della scuola non è mica lì per comodità degli alunni. Vaffambagno, Scruton, occhio di manzo bollito! Bert era in uno stato terribile. Aveva perso la dentiera. Ce l'ha dal 1946, ha un valore sentimentale per lui, perché era di suo padre. L'ho cercata dappertutto ma non sono riuscito a trovarla.

Sono andato dal droghiere e gli ho comprato una scatola di zuppa e del purè istantaneo. È tutto quello che può mangiare, per il momento. Gli ho promesso che domani ripasserò per cercarla. Sabre una volta tanto era felice, stava nella sua cuccia a mordicchiare qualcosa.

Papà sta ancora ripulendo la casa. Perfino Nigel ha lodato il grado di pulizia del pavimento della cucina. Però vorrei che non si mettesse il grembiule verde, sembra un po' uno dell'altra sponda.

Venerdì 8 maggio

Ho trovato la dentiera di Bert nella cuccia di Sabre. Bert l'ha risciacquata sotto il rubinetto e se l'è rimessa in bocca! Che schifo!

Papà ha comprato un numero esagerato di mazzi di fiori per dare alla mamma il benvenuto a casa. Sono dappertutto e spandono una puzza terribile.

La casa del signor Lucas è stata venduta, finalmente. Spero che i nuovi vicini siano persone rispettabili. Sto leggendo *Il mulino sulla Floss*, di un certo George Eliot.

Sabato 9 maggio

Alle otto e mezzo sono stato svegliato da violenti colpi alla porta. Era un funzionario dell'azienda elettrica. Sono rimasto sbalordito nel sentire che era venuto a tagliarci la luce! Papà deve 95 sterline e 79 pence. Ho detto al funzionario che abbiamo bisogno dell'energia per usi vitali, come l'alimentazione della tele e dello stereo, ma lui ha risposto che gente come noi mina la forza della nazione. È andato al contatore, ha fatto qualcosa con i suoi attrezzi, e la lancetta lunga dell'orologio della cucina si è fermata. Simbolico da matti. Proprio allora è rientrato papà, che era andato a comprare il *Daily Express*. Fischiettava e aveva l'aria molto allegra. Ha perfino offerto al funzionario una tazza di tè! Il funzionario ha detto: «No grazie» ed è risalito in fretta sul furgone. Mio papà ha acceso il bollitore elettrico per fare il tè. A questo punto sono stato obbligato a dirglielo.

Naturalmente ha dato la colpa a me! Dice che avrei dovuto impedire al tipo di entrare. Gli ho detto che era lui che doveva metter via i soldi della luce tutte le settimane, come fa la nonna, così si è incazzato veramente. In quella è arrivata la mamma con Lucas! Si sono messi a gridare tutti insieme, come una volta. Io sono andato con il cane dal droghiere a comprare cinque scatole di candele, Lucas mi ha prestato i soldi.

Al ritorno mi sono fermato in anticamera e ho sentito la mamma che diceva: «Non c'è da stupirsi che tu non abbia soldi per pagare le bollette, George, se spendi una fortuna per questi bellissimi fiori». Lo diceva con molta gentilezza. Il signor

Lucas ha offerto a papà di prestargli «un testone», ma papà gli ha risposto con grande dignità: «Tutto quello che voglio da lei, Lucas, è mia moglie». La mamma ha fatto i complimenti a papà per come teneva la casa. Papà aveva l'aria triste e da vecchio. Mi sono sentito straziato da matti per lui.

Quando hanno incominciato a discutere su chi doveva avere la mia custodia mi hanno mandato fuori. La discussione è andata avanti un secolo. A dire la verità, è andata avanti fino all'ora di accender le candele.

Lucas si è rovesciato della cera sulle scarpe di renna nuove. È stata l'unica cosa buona di una giornata tragica.

Quando la mamma e Lucas sono ripartiti in taxi, io sono andato a letto con il cane. Ho sentito papà telefonare a Doreen Slater e poi uscire. Ho guardato dalla finestra e ho visto la sua macchina allontanarsi carica di fiori.

Domenica 10 maggio
Terza dopo Pasqua. Festa della Mamma negli Usa e in Canada. Primo quarto

Oggi mi sono alzato alle quattro del pomeriggio.

Credo di soffrire di depressione. In tutto il giorno non è successo assolutamente niente, a parte una grandinata verso le sei.

Lunedì 11 maggio

Bert Baxter si è offerto di prestarci la sua stufa a kerosene. Abbiamo il riscaldamento a gas, ma il boiler non funziona senza elettricità. L'ho ringraziato ma ho rifiutato la sua gentile offerta. Ho letto che le stufe a kerosene sono instabili e pericolose e il nostro cane provocherebbe sicuramente un inferno di cristallo.

Se si viene a sapere in giro che ci hanno tagliato la luce, mi taglio la gola. Non potrei sopportare la vergogna.

Martedì 12 maggio

Ho fatto una bella chiacchierata con il professor Vann, l'esperto scolastico dei piani di studio. Dice che se voglio fare il veterinario sono obbligatori i corsi di fisica, chimica e biologia; non posso assolutamente sostituirli con quelli di disegno, falegnameria ed economia domestica, come proponevo io.

Sono al grande bivio della mia vita. La decisione sbagliata, e il mondo della veterinaria soffrirebbe una tragica perdita. Ho chiesto a Vann che piano di studio bisogna seguire per scrivere dei programmi umoristici per la televisione: il professore m'ha detto che non è necessaria nessuna qualifica, basta essere un fesso.

Mercoledì 13 maggio

Ho discusso seriamente del problema con papà, che mi ha consigliato di scegliere come fondamentali solo le materie in cui vado bene. Dice che i veterinari passano metà del loro tempo con le mani nelle vacche per far nascere i vitelli, e l'altra metà a far punture a gattoni viziati. Sto riconsiderando tutta la questione del lavoro che farò.

Non mi dispiacerebbe fare il pescatore di spugne, ma non so se in Inghilterra c'è molta richiesta.

Giovedì 14 maggio

La signorina Sproxton mi ha chiesto perché il mio tema era tutto macchiato di cera. Le ho detto che, mentre lo facevo, con la manica del cappotto ho rovesciato la candela sul quaderno. Le sono venute le lacrime agli occhi e mi ha dato dieci e lode.

Dopo cena (cracker imburrati e tonno in scatola) abbiamo giocato a carte a lume di candela. È stato un vero spasso. Per comodità, papà aveva tagliato via la punta delle dita ai guanti. Sembravamo due criminali ricercati.

In questi giorni sto leggendo *Tempi difficili* di Charles Dickens.

Venerdì 15 maggio

La nonna ci ha appena fatto un'improvvisata. Ci ha trovati accanto al fornellino da campeggio, sui cui stavamo scaldando una scatola di fagioli. Papà stava leggendo *Playmen* a lume di candela, io *Tempi difficili* con la pila. Eravamo tutti contenti. Papà aveva appena detto che era un bell'allenamento, il nostro, per quando la civiltà sarebbe crollata: in quella è arrivata la nonna e le è venuto un attacco isterico. Ci ha obbligato ad andare a stare da lei, così adesso sono qui che dormo nel letto del povero nonno. Papà dorme al piano di sotto, su due poltrone riunite. La nonna ha pagato la bolletta con un assegno circolare, è arrabbiatissima perché aveva bisogno di quei soldi per rifornire il freezer. Ogni anno compra due mucche morte intere.

Sabato 16 maggio

Ho aiutato la nonna a fare la spesa della settimana. Dal salumiere era uno spettacolo, controllava la bilancia come un avvoltoio che punta un topolino. Poi ha sferrato un gran pugno sul banco e ha accusato il commesso di rubare sul peso. Il commesso, spaventatissimo, ha aggiunto una fetta di bacon.

Risalendo la collina fino a casa sua eravamo carichi come muli. Non so come faccia a fare la spesa, la nonna, quando è da sola. Credo che il comune dovrebbe mettere le scale mobili; a lungo andare sarebbe un risparmio, eviterebbero di dover soccorrere tutti i vecchietti che stramazzano in salita. La società elettrica ci ha informato che ci vorrà una settimana per riavere la luce, il computer non ce la fa a dare il permesso prima.

Domenica 17 maggio

La nonna ci ha fatto alzare presto per andare in chiesa con lei. Ha fatto pettinare papà e gli ha fatto mettere una cravatta del nonno. Poi ci ha dato il braccio, tutta orgogliosa di essere con noi due. La funzione è stata un mattone. Il vicario sembrava l'uomo più vecchio del mondo e parlava con voce molto flebile. Papà continuava ad alzarsi quando invece bisognava sedersi e viceversa. Io copiavo la nonna, lei ci azzeccava sempre. Papà cantava a voce troppo alta. Lo guardavano tutti. Alla fine ho stretto la mano al vicario. Sembrava una foglia morta. Poi ci hanno lasciato andare.

Dopo pranzo abbiamo ascoltato i dischi di Al Jolson della nonna. Poi la nonna è andata a fare un riposino e io e papà abbiamo lavato i piatti. Il papà ha rotto una lattiera che aveva quarantun anni! È dovuto uscire a bere qualcosa per rimettersi dallo choc. Io sono andato a trovare Bert Baxter, ma non era in casa, allora sono andato a trovare Blossom.

È stata contentissima di vedermi. Dev'essere una gran rottura starsene dalla mattina alla sera in un prato cintato, e poi dalla sera alla mattina. Non meraviglia che apprezzi le visite.

Lunedì 18 maggio

La nonna non parla con papà per via della lattiera. Non vedo l'ora di tornarmene a casa mia, dove le lattiere non hanno la minima importanza.

Martedì 19 maggio
Luna piena

Papà è nei guai perché ieri sera è rincasato tardi. Non è possibile! Ha la stessa età della lattiera e uno penserebbe che può tornare a casa all'ora che vuole.

Gli ho raccontato delle minacce di Barry Kent. Sono stato obbligato a farlo, perché Barry mi aveva strappato lo stemma della scuola dalla giacca. Domani papà va a parlare con il criminale per farsi ridare tutti i soldi. Ben presto, a quanto pare, sarò ricco.

Mercoledì 20 maggio

Barry Kent ha negato tutto e quando mio padre gli ha chiesto indietro i soldi si è fatto una risata.

Papà allora è andato da suo padre, c'è stato uno scazzo con la minaccia finale di andare alla polizia. Papà è coraggiosissimo. Il papà di Barry Kent sembra un gorilla e ha più peli sul dorso della mano che mio padre in testa.

Alla polizia hanno detto che non possono fare niente senza prove, così ho chiesto a Nigel di andare a testimoniare sotto giuramento che mi ha visto passare a Barry Kent i soldi della tangente.

Giovedì 21 maggio

Stamattina Barry Kent mi ha affrontato nel vestibolo. Mi ha appeso a un attaccapanni. Mi ha detto che sono una spia e altri insulti che non mi sento di scrivere. La nonna ha scoperto la storia delle minacce (il papà non voleva dirglielo siccome lei ha il diabete). Ha ascoltato tutto, poi si è messa il cappello, ha stretto le labbra ed è uscita. È stata fuori un'ora e sette minuti, è rientrata, si è tolta il soprabito, il cappello, ha scrollato la testa e ha tirato fuori della cintura antiscippo 27 sterline e 18 pence. Mi ha detto: «Non ti disturberà più, Adrian, ma se dovesse farlo, dillo a me». Poi ha preparato il tè con sardine, pomodori e torta allo zenzero. Le ho comprato dal farmacista una scatola di cioccolatini per diabetici in segno della mia immensa stima.

Venerdì 22 maggio

La storia che una donna di settantasei anni ha spaventato Barry Kent e suo padre al punto di fargli restituire i soldi ha fatto il giro della scuola. Barry Kent non ha più il coraggio di farsi vedere. La sua banda sta eleggendo un altro capo.

Sabato 23 maggio

Siamo tornati a casa nostra, dove adesso c'è la luce. Sono morte tutte le piante. Sulla porta hanno appuntato un sacco di fatture da pagare.

Domenica 24 maggio

Ho deciso di dipingere di nero i muri della mia camera. È un colore che mi piace. Non ne posso più della vecchia tappezzeria con Paperino. Alla mia età è scandaloso svegliarsi con quello stupido personaggio di Walt Disney che ti fissa moltiplicato per centonovantatré volte dalle pareti. Papà ha detto che posso dipingere con il colore che voglio, basta che compri io la vernice e mi arrangi.

Lunedì 25 maggio

Ho deciso: da grande farò il poeta. Papà dice che è una carriera precaria, niente pensione e un sacco di altri svantaggi, ma io sono decisissimo. Ha cercato di farmi sembrare appassionante il lavoro di operatore al computer ma gli ho detto che «ho bisogno di metterci l'anima, nel lavoro, e si sa che i computer non hanno anima». Papà ha replicato che gli americani stanno studiando la maniera di mettercela, ma io non ho tempo di aspettare.

Ho comprato due latte di tempera lavabile vinilica nero seta e un pennello grande. Ho cominciato a dipingere le pareti appena tornato dal colorificio. Sotto la pittura nera si vede ancora Paperino. Ho idea che ci vorranno due mani. La solita sfiga!

Martedì 26 maggio
Ultimo quarto

Appena dato la seconda mano. Paperino si vede ancora. Schizzi di vernice fin sulla scala. Non va via neanche dalle mani. Il pennello perde i peli. L'intera faccenda mi ha rotto. La camera è buia e triste. Papà non ha mosso un dito per aiutarmi. Vernice nera dappertutto.

Mercoledì 27 maggio

Terza mano. Leggero miglioramento, adesso si intravede solo il becco giallo.

Giovedì 28 maggio
Ascensione

Ho ripassato i becchi di Paperino con l'inchiostro di china perché la vernice nera è finita. Si vedono ancora un po'.

Venerdì 29 maggio

Ripassato i becchi con il pennarello nero, stasera ne ho fatti sessantanove, me ne restano centoventiquattro per domani.

Sabato 30 maggio

Fatto l'ultimo becco alle undici di sera. Ora so come si sentiva Rembrandt dopo aver dipinto la Cappella Sistina di Venezia.

2.00. La vernice è asciugata ma doveva avere qualche difetto, perché è tutta a strisce. Adesso si vedono anche Qui Quo Qua e le basette di zio Paperone. Papà è appena venuto a dirmi di andare a letto. Dice che camera mia gli ricorda un quadro di Salvador Dalì. Dice che è un incubo surrealista, ma è tutta invidia, perché lui in camera ha le pareti piene di schifosissime rosette.

Domenica 31 maggio
Prima dopo l'Ascensione

Ho comprato un bastoncino d'incenso nel negozio del signor Singh. L'ho acceso in camera mia per vincere la puzza di vernice. È venuto papà e l'ha buttato fuori della finestra intimandomi di star lontano dalla droga! Ho cercato di spiegarmi ma era troppo incazzato per ascoltare. Sono stato qualche ora in camera mia ma mi sembrava che le pareti nere volessero inghiottirmi, così sono andato a trovare Bert Baxter. Oggi era sordo come una campana, allora sono tornato a casa e ho guardato alla tele *Tempo dello Spirito*. Ho preso il tè, ho fatto il compito di geografia e sono andato a dormire. Il cane non vuole più stare in camera mia: continua a guaire finché non lo lascio uscire, pensa di essere ancora nella carbonaia.

Lunedì 1° giugno
Giornata festiva nella repubblica d'Irlanda

Papà ha ricevuto una lettera che l'ha sbiancato come un lenzuolo: l'hanno licenziato! Era eccedente! È a spasso! Come faremo a vivere di quella miseria del sussidio di disoccupazione? Dovremo rinunciare al cane! Costa trentacinque pence al giorno solo di Manzocan, senza contare il Vincibau! Praticamente adesso sono figlio di separati con padre disoccupato. Mi comprerà le scarpe l'Assistenza sociale.

Oggi non sono andato a scuola. Ho telefonato in segreteria dicendo che mio papà è mentalmente disturbato e ha bisogno di essere sorvegliato tutto il giorno. La segretaria, molto preoccupata, mi ha chiesto se era violento. Le ho detto che per il momento non sembrava, ma che al primo sintomo avrei chiamato il dottore. Gli ho portato una decina di tazze di tè caldo e dolcissimo, ma lui continuava a vaneggiare che erano le stufette che non funzionavano e che bisognava informare i mass media.

Ha telefonato a Doreen Slater, che è venuta subito da noi insieme a un bambino bruttissimo che si chiama Maxwell. È stato un bello choc vedere per la prima volta Doreen Slater. Non riesco a immaginare perché papà abbia desiderato conoscerla carnalmente. È secca come un picco. Non ha tette né chiappe.

È piatta come un'asse dalla testa ai piedi, compresi naso, bocca e capelli. Appena entrata ha abbracciato papà. Maxwell si è messo a piangere e il cane ad abbaiare. Sono andato nella camera nera e ho iniziato a contare i difetti dell'imbiancatura (per modo di dire): centodiciassette!

Doreen è uscita all'una e mezzo per portare Maxwell all'asilo. Poi è andata a fare un po' di spesa e ci ha preparato un piatto tutto appiccicoso di spaghetti al formaggio. Anche lei è una famiglia di un genitore; Maxwell è nato fuori del matrimonio. Mi ha raccontato qualcosa di sè mentre lavavamo insieme i piatti. Sarebbe anche simpatica, se soltanto fosse un po' più grassa.

Martedì 2 giugno
Luna nuova

Doreen e Maxwell sono rimasti a dormire. Maxwell doveva dormire sul sofà, ma piangeva tanto che alla fine l'hanno portato nel lettone. Così papà non ha potuto estendere la sua conoscenza carnale di Doreen. Era di pessimo umore, ma mai come Maxwell. Ah! Ah! Ah!

Mercoledì 3 giugno

Oggi sono andato a scuola, ma non sono riuscito a concentrarmi, pensavo sempre a Stick Insect, la signorina Stecchino. Ha dei bei denti bianchi (dritti come palette, ovviamente). Quando sono tornato da scuola mi ha fatto la torta di pastafrolla. Fa una buona crostata, non ha, come tante altre donne, la mano pesante con la marmellata.

Papà fuma e beve senza pietà, il che, secondo Doreen, l'ha fatto diventare temporaneamente impotente. Ma perché certe cose quella viene a dirle a me? Mi parla come se fossi un adulto, invece che un figlio del suo amante che ha quattordici anni, due mesi e un giorno.

Giovedì 4 giugno

Stamattina presto Doreen ha risposto al telefono. Era la mamma. Ha chiesto di parlare con me. Voleva sapere che cosa ci faceva per casa quella Doreen. Le ho spiegato che papà aveva l'esaurimento nervoso e che Doreen lo curava. Le ho detto che era stato licenziato. Le ho detto che beveva come un matto, fumava troppo e si lasciava andare. Poi sono andato a scuola. Mi sentivo ribelle, così mi sono messo le calze rosse. È assolutamente vietato ma ormai me ne sbatto.

Venerdì 5 giugno

La signorina Sproxton, in assemblea, si è accorta che avevo le calze rosse. La vecchiaccia mi ha denunciato a Scruton. Il pirla mi ha chiamato in presidenza e mi ha fatto una conferenza sui pericoli dell'anticonformismo. Poi mi ha spedito a casa a cambiarmi le calze: dovevo assolutamente mettermi quelle nere regolamentari. Quando sono arrivato a casa mio padre era a letto che si faceva curare l'impotenza. Ho guardato i Muppet alla tele con Maxwell finché il genitore non è sceso. Gli ho raccontato la saga delle calze.

Si è incazzato come una bestia! Ha telefonato a scuola e ha strappato Scruton da un'assemblea di bidelli che volevano scioperare. Si è messo a urlare al telefono: «Mia moglie mi ha lasciato, sono stato licenziato quale eccedente, ho la responsabilità di un bambino scemo» – Maxwell, presumo – «e lei perseguita mio figlio per il colore delle calze!» Scruton gli ha detto allora che se tornavo a scuola in calze nere tutto era risolto ma papà ha replicato che potevo portare le calze del colore che cavolo volevo. Scruton ha detto che gli stava a cuore il regolamento. Papà ha ribattuto che l'Inghilterra campione del mondo nel 1966 non portava mica le calze nere e nemmeno Sir Edmund Hillary, in cima all'Everest, nel 1953. Allora Scruton si è calmato un po'.

Papà ha riattaccato la cornetta: «Uno a zero per me», ha annunciato trionfante.

È una storia che potrebbe anche finire sul giornale: «Accesa contestazione a scuola per le calze nere». Se la legge la mamma, magari torna.

Sabato 6 giugno

Uau! Pandora ha organizzato una manifestazione di protesta per le calze! È venuta a trovarmi a casa! Si è fermata sulla veranda e ha detto che mi ammirava! Avrei anche potuto invitarla a entrare, ma è stato meglio non farlo, perché la casa è in uno stato pietoso. Lunedì mattina, a scuola, farà girare una petizione. Dice che sono un combattente per la libertà e i diritti degli individui. Mi ha detto di andare domani mattina a casa sua. Sta organizzando un comitato e io sarò l'oratore principale! Voleva vedere le calze rosse ma erano in lavatrice.

Oggi Doreen Slater e Maxwell sono tornati a casa loro. Stasera viene la nonna e bisogna provvedere a cancellare ogni traccia.

Domenica 7 giugno
Pentecoste

La nonna ha trovato il ciuccio di Maxwell nel letto di papà. Le ho raccontato una palla, che ce lo aveva portato il cane dopo averlo raccattato per strada. È stato un brutto momento. Non sono un gran pallista, divento tutto rosso e poi la nonna ha gli occhi alla Superman, che ti perforano in un secondo. Per distrarla, le ho raccontato la storia delle calze rosse. Mi ha detto semplicemente che le regole esistono per essere rispettate.

Il comitato mi aspettava nel grande soggiorno di Pandora. Pandora è presidente, Nigel segretario e l'amica di Pandora, Claire Nelson, tesoriere. Craig Thomas e suo fratello Brett semplici sostenitori. Io non posso assumere cariche in quanto vittima del sopruso.

I genitori di Pandora erano in cucina a risolvere le parole crociate dell'edizione domenicale del *Times*. Sembra che vadano molto d'accordo.

Ci hanno portato un vassoio con caffè e biscotti. Pandora mi ha presentato ai genitori, che mi hanno espresso la loro stima per la mia determinazione. Sono tutti e due di sinistra, del partito laburista, e hanno cominciato a parlare dei Martiri di Tolpuddle. Mi hanno domandato se avevo scelto per una ragione precisa il colore rosso per le mie calze. Ho risposto impassibile che il rosso è il colore della rivoluzione. Ultimamente devo aver fatto progressi come ballista.

La mamma di Pandora mi ha detto che potevo chiamarla Tania e darle del tu. Dev'essere un nome russo. Il marito mi ha detto che potevo chiamarlo Ivan. È molto simpatico, mi ha dato un libro: *Filantropi* e *sanculotti*. Non l'ho ancora guardato ma stasera lo comincio. Infatti, siccome faccio la raccolta di francobolli, sono anch'io un filantropo.

Ho lavato le calze rosse e le ho messe ad asciugare sul calorifero per domattina.

Lunedì 8 giugno

Mi sono alzato e vestito, cominciando dalle calze. Papà mi ha accompagnato alla porta e mi ha augurato buona fortuna. Mi sentivo un eroe. All'angolo della strada ho incontrato Pandora e il resto del comitato: tutti avevano le calze rosse. Quelle di Pandora erano addirittura lucide. Ha del fegato! Andando a scuola cantavamo: *We shall not be moved*. Nell'attraversare il cancello ho sentito un po' di panico: ma Pandora ci incoraggiava con grandi urla.

Scruton ci aspettava nell'atrio. Era immobile, con le braccia conserte e gli occhi strabuzzati come uova sode. Non ha neanche parlato, ci ha convocati in presidenza con un gesto. Avevo il cuore che mi usciva dalla giacca. In silenzio, Hitler è entrato in ufficio, si è seduto e, fissandoci, ha cominciato a picchiettarsi la biro sui denti. Noi, muti.

Poi ha fatto un tremendo sorriso e ha suonato il campanello sulla scrivania. È entrata la sua segretaria. «Si sieda che le detto una lettera, signora Claricoates.» Era per i nostri genitori:

Cari signor e signora...

ho lo sgradito dovere di informarvi che vostro/a figlio/a ha deliberatamente infranto una regola della scuola.

Considero tale trasgressione estremamente grave. Pertanto ho deciso di sospendere vostro/a figlio/a per la durata di una settimana. Al giorno d'oggi i giovani mancano sovente, in famiglia, della necessaria guida morale, ragion per cui considero doveroso esercitare il pugno di ferro almeno a scuola. Nel caso voleste discutere l'argomento con me, non esitate a prendere appuntamento tramite la segreteria scolastica.

Distinti saluti.

R.G. Scruton
Preside

Pandora ha cominciato a dire che la sospensione avrebbe avuto un effetto quanto mai negativo sul corso dei nostri studi, ma Scruton le ha urlato di tacere! Perfino la signora Claricoates ha fatto un salto sulla sedia. Scruton ci ha detto che potevamo restare nell'ambito della scuola solo mentre la lettera veniva dattiloscritta, fotocopiata e firmata: poi dovevamo «filare via di corsa». Abbiamo aspettato fuori della Presidenza. Pandora piangeva (per la rabbia e la frustrazione, diceva). Le ho messo il braccio attorno alla vita. La signora Claricoates ci ha dato le lettere. Sorrideva gentilmente, non dev'essere bello lavorare per un simile nazista.

Siamo andati a casa di Pandora, ma era chiusa, così abbiamo deciso per casa mia. Una volta tanto era in ordine, a parte i peli del cane dappertutto.

Papà si è davvero incazzato per la lettera. E sì che dovrebbe essere un conservatore, lui! Ma quello che ha detto non era affatto in linea con le sue opinioni politiche ufficiali.

Comunque, perché diavolo mi sono messo le calze rosse venerdì?

Martedì 9 giugno
Primo quarto

Oggi papà ha avuto un colloquio con Scruton e gli ha detto che, se non mi riammetteva subito a scuola con le calze che cavolo volevo, avrebbe protestato con l'onorevole. Scruton gli ha chiesto chi era questo suo onorevole. Papà non lo sapeva.

Mercoledì 10 giugno

Pandora e io siamo innamorati! È ufficiale! L'ha detto a Claire Nelson che l'ha detto a Nigel che l'ha detto a me.

Ho detto a Nigel di dire a Claire di dire a Pandora che ricambio il suo amore. Sono fuori di testa! Supero anche il fatto che Pandora fumi cinque sigarette al giorno e abbia un accendino suo. Quando si è innamorati, certe cose cessano di avere importanza.

Giovedì 11 giugno

Ho passato tutto il giorno con il mio amore. Non posso scrivere molto, mi tremano ancora le mani.

Venerdì 12 giugno

Mi ha telefonato la segretaria della scuola per dirmi che Bert Baxter vuole vedermi d'urgenza. Ci sono andato con Pandora (siamo inseparabili). Bert sta male. Aveva un aspetto orribile. Pandora gli ha rifatto il letto con delle lenzuola pulite (sembra non far caso alla puzza) mentre io telefonavo al dottore. Gli ho descritto i sintomi di Bert: respiro ansimante, sudore, pallore.

Abbiamo cercato di fare un po' di pulizia in camera da letto, mentre Bert continuava a parlare a vanvera. Secondo Pandora era in delirio. Gli ha tenuto la mano fino all'arrivo del dottore. Il dottor Patel è stato gentilissimo, ha detto che Bert aveva bisogno di ossigeno. Mi ha dato il numero di telefono per chiamare l'ambulanza, che ci ha messo un secolo ad arrivare. Ho pensato a quanto ho trascurato Bert, ultimamente, e mi sono venuti dei bruttissimi sensi di colpa. Gli infermieri hanno portato giù Bert in barella. Nel girare l'angolo del corridoio hanno fatto cadere dalla credenza i vasetti di barbabietole in conserva. Pandora e io abbiamo aperto a quegli uomini un varco in mezzo alla sporcizia del piano di sotto. Prima di portarlo fuori l'hanno avvolto in una bella coperta morbida rossa. Poi l'hanno caricato sull'ambulanza e l'hanno portato via a sirene spiegate. Mi sono venuti un gran groppo in gola e le lacrime agli occhi, dev'essere stata la polvere.

C'è n'è un sacco, a casa di Bert.

Sabato 13 giugno

Bert è sotto terapia intensiva, non si può andare a trovarlo. Ogni quattro ore telefono e mi faccio dire come sta. Faccio finta di essere un parente. Le infermiere dicono: «È stazionario» e cose del genere.

Sabre sta con noi. Il nostro cane sta dalla nonna, perché ha il terrore dei pastori alsaziani.

Spero che Bert non muoia. A parte il fatto che mi è simpatico, non saprei proprio come comportarmi a un funerale.

Sono sempre fuori di testa per P.

Domenica 14 giugno
SS. Trinità

Sono andato a trovare Bert, è tutto intubato. Gli ho portato un vasetto di barbabietole per quando starà meglio. L'infermiera gliel'ha messo nel comodino. Gli ho portato anche qualche bigliettino con gli auguri per la guarigione: uno mio e di Pandora, uno della nonna, uno di papà e uno da parte di Sabre.

Siccome dormiva, non sono stato lì un secolo.

Lunedì 15 giugno

Il comitato Calze Rosse ha deciso di cedere a Scruton, per il momento. Porteremo le calze rosse sotto quelle nere. Le scarpe diventano un po' strette ma non importa, è una questione di principio.

Bert è un po' migliorato. Sta sveglio di più. Domani vado a trovarlo.

Martedì 16 giugno

Bert è ancora intubato, ma molto meno. Quando sono entrato in camera sua era sveglio. All'inizio non mi ha riconosciuto perché avevo su il camice e la mascherina, credeva fossi un dottore. Mi ha detto: «Tiratemi via 'sti tubi dalle parti intime, non sono mica la metropolitana». Poi ha visto che ero io e mi ha chiesto come stava Sabre. Abbiamo chiacchierato un po' dei suoi disturbi del comportamento, poi è arrivata l'infermiera e mi ha detto che dovevo andarmene. Bert mi ha incaricato di dire alle sue figlie che è sul letto di morte: mi ha dato una vecchia moneta da mezza corona per telefonare! E due figli stanno in Australia! Mi ha spiegato che i numeri di telefono sono scritti sul foglio di congedo militare.

Papà mi ha spiegato che mezza corona valeva circa dodici pence e mezzo di oggi. Terrò la moneta, è bella grossa e senza dubbio un giorno avrà un valore filodrammatico.

Mercoledì 17 giugno
Luna piena

Pandora e io abbiamo frugato in tutta la casa di Bert alla ricerca del foglio di congedo. Pandora ha trovato una pigna di vecchie cartoline color seppia, molto indecenti. Erano firmate: «*Avec tout mon amour chéri, Lola*». Guardandole assieme a Pandora mi sono sentito strano. Poi ci siamo dati il primo bacio veramente appassionato. Avevo una certa voglia di un bacio alla francese, ma siccome non sapevo come si fa ho dovuto ripiegare sul solito bacio liscio all'inglese.

Il congedo non l'abbiamo più cercato.

Giovedì 18 giugno

Bert è stato disintubato. Domani lo trasferiscono in corsia. Gli ho detto che non abbiamo trovato il congedo, ha risposto meglio così, visto che non sta più per morire.

Oggi Pandora è venuta a trovarlo con me. Gli

è simpatico, Bert: parlano di Blossom. Bert le dà qualche consiglio sulla manutenzione dei pony. Poi, quando Pandora è uscita a prender l'acqua per i fiori, mi ha domandato se l'ho già «trombata». Qualche volta non è che un vecchio sporcaccione, che non meriterebbe alcun visitatore.

Venerdì 19 giugno

Bert è in una corsia piena di gente ingessata e bendata. Adesso che si è rimesso la dentiera ha un aspetto molto migliore. Qualche ricoverato ha fischiato quando Pandora è passata per il corridoio. Vorrei che non fosse più alta di me. Bert è nei pasticci con la suora perché continua a sporcare di barbabietola il lenzuolo. Dovrebbe essere a dieta liquida.

Sabato 20 giugno

Spero che Bert torni a casa presto. Papà è stufo marcio di Sabre e la nonna non vuol più saperne del nostro cane.

Il dottore ha detto a Bert di smettere di fumare ma Bert dice che a ottantanove anni non vale proprio la pena. Mi ha chiesto di comprargli un pacchetto di Woodbine e una scatola di fiammiferi. Che fare?

Domenica 21 giugno
Prima dopo la SS. Trinità. Festa del Papà

Ieri sera non sono riuscito a dormire per l'amletico problema delle sigarette. Dopo matura riflessione ho deciso di non rispettare il desiderio di Bert. Poi sono andato all'ospedale e ho scoperto che si era comprato le sue puzzolenti paglie allo spaccio interno!

Mi sono appena misurato l'affare, è cresciuto di un centimetro. Potrei averne bisogno presto.

Lunedì 22 giugno

Mi sono svegliato con la gola che mi faceva un male cane, non riuscivo nemmeno a inghiottire. Ho cercato di gridare per avvertire da basso ma sono riuscito soltanto a emettere un grugnito. Allora ho cercato di attirare l'attenzione di papà pestando i piedi sul pavimento con le scarpe pesanti, ma papà ha urlato: «E piantala di far casino». Alla fine ho mandato giù il cane con un messaggio infilato nel collare. Ho aspettato un secolo, poi l'ho sentito abbaiare in strada. Non aveva consegnato il messaggio! Ero alla disperazione. Ho dovuto alzarmi a far pipì e non so come ho fatto ad arrivare in bagno: era tutta una nebbia indistinta. Mi sono fermato in cima alla scala e ho cercato di chiamare, ma papà stava sentendo i suoi dischi di Alma Cogan e sono stato costretto a scendere per dirgli che ero malato. Mio padre mi ha guardato in gola e ha detto: «Gran Dio, Adrian, hai delle tonsille che sembrano missili Polaris! Che cosa fai da basso? Torna subito a letto, cretino!» Mi ha provato la febbre: 43. Dovrei essere già morto.

Mancano cinque minuti a mezzanotte, il dottore viene domani mattina. Spero solo di resistere fino ad allora. Se dovesse accadere il peggio, esprimo qui le mie ultime volontà: i miei beni terreni vadano tutti a Pandora Braithwaite, Elm Tree Drive numero 69. Credo di essere in possesso delle mie facoltà mentali. È difficile dirlo, con 43 di febbre.

Martedì 23 giugno

Ho la tonsillite. È ufficiale. Prendo gli antibiotici. Pandora viene a sedersi al mio capezzale e mi legge un libro. Vorrei che non lo facesse, ogni parola è come un sasso che mi cade sulla testa.

Mercoledì 24 giugno

Ho ricevuto un bigliettino d'auguri dalla mamma. Dentro c'erano cinque sterline. Ho chiesto a papà di comprare delle bibite rinfrescanti per me.

Giovedì **25** giugno
Ultimo quarto

Ho fatto sogni deliranti a proposito di Lady Diana Spencer: spero di star bene all'epoca del matrimonio. Ho sempre 43 di febbre. Siccome papà non va d'accordo con Sabre, Pandora se l'è portato a casa.

Venerdì **26** giugno

Il dottore dice che il nostro termometro è rotto. Mi sento già meglio.

Oggi mi sono alzato per dieci minuti. Ho guardato i Muppet alla tele.

Pandora mi ha portato un bigliettino d'auguri. L'ha fatto lei con i pennarelli. Ha firmato così: «tua per sempre, Pan».

Volevo baciarla ma ho ancora le labbra screpolate.

Sabato **27** giugno

Perché la mamma non è venuta a trovarmi?

Domenica **28** giugno
Seconda dopo la festa della SS. Trinità

È appena andata alla stazione per tornare a Sheffield. La mamma è venuta a trovarmi! Sono ancora confuso per l'emozione. Ci sarà il pericolo di una ricaduta?

Lunedì 29 giugno

Pandora è andata a trovare Bert Baxter. Dice che le infermiere sono esasperate perché non resta a letto e non fa quello che gli dicono. Giovedì lo dimettono.

Piacerebbe molto a me stare tranquillo e in pace in una corsia d'ospedale. Sarei un paziente perfetto.

Il padre di Pandora ha portato Sabre in un pensionato per cani. Gli costa tre sterline al giorno, ma il padre di Pandora dice che ne vale ampiamente la pena.

Martedì 30 giugno

Sto entrando in convalescenza. Devo andarci piano, se voglio riacquistare tutto il mio abituale vigore.

Mercoledì 1° luglio
Luna nuova. Festa del Dominion in Canada

Oggi pomeriggio è passato l'ispettore della scuola: mi ha beccato in giardino, su una sedia a sdraio. Non ci crede che sono malato! Mi farà rapporto! Il fatto che stessi bevendo una bibita vitaminica e fossi in pigiama e ciabatte gli è completamente sfuggito! Mi sono offerto di fargli vedere le mie schifosissime tonsille, ma ha fatto un balzo indietro pestando la zampa del cane. Il cane ha una soglia del dolore molto bassa, così ha impiantato un casino bestiale. Mio papà è uscito a separarli, ma adesso sono al solito nei guai.

Giovedì 2 luglio

Il dottore dice che domani posso tornare a scuola, se mi sento. Scommetto che non mi sento.

Venerdì 3 luglio

Una famiglia di colore si trasferisce nella vecchia casa del signor Lucas! Dalla sedia a sdraio ho potuto vedere benissimo tutti i loro mobili mentre li scaricavano dal camion dei traslochi. Le signore di colore non facevano che portare in casa pentoloni, a quanto pare è una famiglia numerosa. Papà dice

129

che per la nostra via «è l'inizio della fine». Pandora, che è della Lega Antinazista, dice che forse mio padre è tendenzialmente razzista.

Sto leggendo *La capanna dello zio Tom*.

Sabato 4 luglio
Festa dell'Indipendenza negli Usa

La nostra via brulica di gente di colore che va e viene in autobus, macchine e furgoni. Entrano ed escono a plotoni dalla vecchia casa del signor Lucas. Papà dice che probabilmente in ogni camera ci stanno tre famiglie.

Pandora e io siamo decisi a portare loro un messaggio di benvenuto a nome del vicinato. Intendiamo dimostrargli che non tutti i bianchi sono dei fanatici razzisti.

Bert Baxter è ancora all'ospedale.

Domenica 5 luglio
Terza dopo la SS. Trinità

Sono stato a letto fino alle sei del pomeriggio. Non aveva senso alzarsi. Pandora è andata a fare un giro in campagna con i suoi.

Lunedì 6 luglio

La signora O'Leary sta cercando di organizzare un party in strada in occasione del matrimonio del Principe Carlo con Lady Diana. Gli unici che finora hanno aderito sono i Singh.

Martedì 7 luglio

Bert Baxter è scappato dall'ospedale. Ha telefonato al Comitato nazionale per le libertà civili e gli hanno detto che bastava una firma per uscire. Così ha fatto. Adesso sta da noi. Papà è nero.

Pandora, Bert e io abbiamo aderito al party stradale. Bert è molto migliorato, adesso che può fumarsi tutte le sigarette che vuole.

Il padre di Pandora è venuto a consultarsi con il mio per decidere che cosa farne di Bert e Sabre. Si sono ubriacati e hanno cominciato a litigare per via della politica. Bert ha picchiato dei colpi sul pavimento urlando che al mondo non c'è più gente che sa comportarsi in modo civile.

Mercoledì 8 luglio

Papà è alla disperazione perché Bert russa come un trombone. A me non dà fastidio, mi metto i tappi di cera nelle orecchie.

Oggi sono andato a scuola. Ho deciso di scegliere come materie fondamentali: economia domestica, disegno, falegnameria e inglese. Complementari: geografia, matematica e storia.

Pandora ha scelto nove materie fondamentali. Ma lei parte da una situazione di privilegio. È iscritta alla biblioteca pubblica da quando aveva tre anni.

Giovedì 9 luglio

Domani finisce la scuola. Due mesi di vacanza! Pandora andrà in Tunisia. Come farò a sopravvivere senza il mio amore è facile da indovinare. Abbiamo provato il bacio alla francese ma non piace a nessuno dei due, quindi siamo tornati a quello liscio all'inglese.

Ho la pelle in ottime condizioni. Credo che sia l'effetto combinato dell'eros e delle bibite con aggiunta di vitamine.

Venerdì 10 luglio

Oggi a scuola è stato bellissimo. Tutti i professori erano di ottimo umore. Girava la voce che Scruton fosse stato visto ridere, ma io non riesco a crederci.

Barry Kent si è arrampicato sull'asta della bandiera e vi ha attaccato un reggipetto di sua mamma. Pandora ha detto che probabilmente era la prima volta che quell'indumento prendeva aria da secoli.

Oggi Sean O'Leary compie diciannove anni. Mi ha invitato alla festa del suo compleanno. Siccome abita nella casa di fronte, basta attraversare la strada per arrivarci.

Scrivo il diario adesso perché poi magari avrò bevuto troppo. Pare che la gente si ubriachi solo a varcare la soglia di casa O'Leary.

Sabato 11 luglio

Uh, che mal di testa! La prima vera sbornia, all'età di quattordici anni, cinque mesi e nove giorni. Mi ha messo a letto Pandora. Mi ha trascinato su per la scala eseguendo abilmente la presa del pompiere.

Domenica 12 luglio
Quarta dopo la SS. Trinità

Oggi papà ci ha portato al pensionato dei cani perché la signora Kane, la proprietaria, si è rifiutata di tenere Sabre un giorno di più. Siamo andati a riprenderlo io, Pandora, Bert e papà. L'incontro tra Bert e Sabre è stato commovente. La signora Kane è una donna molto dura, quando papà si è rifiutato di pagare le spese della pensione per Sabre è diventata molto sgradevole. Non faceva che lisciarsi i baffi neri con le dita callose usando un linguaggio del tutto indegno di una femmina.

Bert ha detto che non si separerà mai più da Sabre. Ha dichiarato che è il suo unico amico al mondo! Dopo quello che ho fatto per lui! Se non c'ero io, adesso lui era morto, e Sabre un orfanello mantenuto dalla Protezione Animali.

Lunedì 13 luglio

Bert è andato a chiacchierare con la signora Singh! Parla benissimo l'hindi! Dice che la signora ha trovato delle riviste indecenti sotto il linoleum in bagno. Un'eredità di quello schifoso verme di Lucas!

La signora Singh è scandalizzata. Ha scritto alla società immobiliare per protestare che le hanno venduto una casa moralmente degradata.

Bert mi ha mostrato una delle riviste. Secondo me non è indecente, ma si sa che io sono un uomo di mondo. L'ho messa sotto il materasso insieme alla raccolta di *Playmen*. Si chiama *Il fotografo dilettante*.

Martedì 14 luglio

L'assistente sociale di Bert è passata oggi a trovarlo. Si chiama Katie Bell. Gli ha fatto un discorsetto mellifluo. Diceva che ha diritto a un posto come gentile ospite della Casa dell'anziano Cooper Mirasole. Bert le ha detto chiaro che non ci sarebbe andato, Katie Bell gli ha detto che invece ci sarebbe andato. Perfino papà dice che gli dispiace per Bert. Ma non abbastanza per invitarlo a restare per sempre con noi, vedo.

Povero Bert, che fine farà?

Mercoledì 15 luglio

Bert si è trasferito dai Singh. Il signor Singh è venuto a prendere la cuccia di Sabre, dunque è ufficiale. Bert ha l'aria molto contenta. Il curry gli piace da matti.

Pandora ha lasciato che le toccassi il seno. Ho promesso di non dirlo a nessuno, ma non saprei che cosa dire. Non ho neanche capito dove comincia, il seno, sotto tutti quegli strati di biancheria, vestiti, golf e reggipetto.

Sto leggendo *Sesso: i fatti*, del dottor P.G. Haig.

Giovedì 16 luglio

11.00. Papà ha riscosso il primo assegno del sussidio di disoccupazione. Urlava come un indiano in soggiorno, sventolandolo. Ha invitato Doreen Slater a uscire con lui per far festa. Indovina un po' chi è il baby-sitter di Maxwell? Bravo, hai indovinato, caro diario! Il sottoscritto!

23.00. Maxwell si è addormentato adesso. Verso le nove e mezzo ha telefonato Pandora ma non riuscivo nemmeno a sentirla per il pianto del bamboccio. Pandora mi ha suggerito di mettere un po' di vodka nel latte caldo e di farglielo bere. Ho fatto così: funziona.

È un bravo bambino quando dorme.

Venerdì 17 luglio
Luna piena

Il mio diletto amore lascia questi lidi domani. L'accompagno all'aeroporto. Spero che il suo aereo non soffra di stress del metallo. Ho appena guardato l'atlante per vedere dov'è la Tunisia: meno male che Pandora non deve sorvolare il Triangolo delle Bermude.

Se le succede qualcosa, non potrò mai più tornare a sorridere.

Le ho portato un libro da leggere durante il viaggio. Si intitola *Crash!* di un certo William Goldenstein III. È molto utile perché ti insegna che cosa fare in caso di disastro aereo.

Sabato 18 luglio

Pandora ha letto *Crash!* sul pullman per l'aeroporto. Quando hanno chiamato il suo volo era leggermente isterica e suo padre ha dovuto trascinarla sulla scaletta. Ho salutato l'aereo con la mano finché non è sparito in una nuvola, poi tristemente sono tornato a casa. Come farò queste due settimane non lo so. Sogni d'oro, mia bellezza tunisina!

Domenica 19 luglio
Quinta dopo la SS. Trinità

Sono stato a letto a guardare fisso la carta geografica della Tunisia.

Lunedì 20 luglio

Ancora nessuna cartolina dal mio amore.

Martedì 21 luglio

Oggi, è venuto a trovarmi Bert. Dice che la Tunisia è un Paese pieno di pericoli.

Mercoledì 22 luglio

Perché non ho ancora ricevuto nessuna cartolina?

Giovedì 23 luglio

Ho chiesto al postino come sono le comunicazioni tra Inghilterra e Tunisia. Dice che sono «diaboliche». Dice che il servizio postale tunisino si serve ancora dei cammelli.

Venerdì **24** luglio
Ultimo quarto

Sono andato a trovare il signor Singh. Dice che la Tunisia è antigienica. Tutti sanno tutto della Tunisia, tranne me!

Sabato **25** luglio

Pandora! Pandora! Pandora!

Oh mio amore!
Ti brama il mio cuore!
Riarsa è la bocca, sì!
Riarsa è l'anima mia!
Tu in Tunisia,
io qui.
Ricordati di me,
versa una lacrima.
Torna abbronzata nera e in forma, Pan!
Beata te che tuo papà ci ha il gran!

Fra sei giorni è qui.

Domenica 26 luglio
Sesta dopo la SS. Trinità

Sono andato a prendere il tè dalla nonna. Ero triste e abbattuto a causa del soggiorno di Pandora in Tunisia. La nonna mi ha chiesto se in questo periodo soffrivo di stitichezza. Stavo per aprirle il mio cuore, ma come si fa a spiegare *l'amore* a una donna di settantasei anni che crede che sia una parola sporca?

Lunedì 27 luglio

La cartolina cammellata! Dice così:

Tesoro mio,
    qui le condizioni economiche sono terribili. Volevo comprarti un regalo ma invece ho dato tutti i miei soldi a un accattone. Hai il cuore generoso tu, Adrian, e sono sicura che capirai.
    Tutto il mio amore per l'eternità.

Per sempre tua
Pandora

Ma che bella idea dare i soldi del mio regalo a uno schifoso lavativo! Anche il postino è disgustato.

Martedì 28 luglio

Sono stupito di avere ancora la forza di tener la penna in mano. È tutto il giorno che sgobbo per la preparazione del party all'aperto in onore della coppia principesca. La signora O'Leary è venuta a dirmi se potevo darle una mano ad appendere i festoni. Le ho detto che lo consideravo mio dovere di patriota. La signora O'Leary mi ha detto che se io salivo sulla scala, lei mi passava i festoni. Per le prime quattro o cinque volte tutto è andato bene, poi ho commesso l'errore di guardare giù e mi è venuto un attacco di vertigini. Così sulla scala ci è salita la signora O'Leary. Non ho potuto fare a meno di guardarle le mutandine. Sorprendentemente sexy, per una che va in chiesa tutti i giorni e due volte la domenica. Pizzo nero! Con nastrini di seta rossa! Ho la sensazione che la signora O'Leary si sia accorta che le sbirciavo le mutandine, perché mi ha detto di chiamarla pure Caitlin e darle del tu. Sono stato contento quando il signor O'Leary è venuto a darmi il cambio. I signori Singh hanno appeso una grandissima bandiera inglese alla finestra della camera da letto. Mi ha detto Bert che è la bandiera che ha rubato lui quand'era nell'esercito.

La nostra casa sfigura un po': tutto quello che ha fatto papà è stato appendere una salvietta con su Carlo e Diana alla porta d'ingresso.

Papà e io abbiamo guardato alla tele i fuochi artificiali in onore di Carlo e Diana. Posso dire solo che ho cercato di godermeli, ma non ci sono riuscito. Mio padre continuava a ripetere che erano tutti soldi buttati. Fa così perché è disoccupato.

Spero che il principe Carlo si ricordi di togliere il cartellino del prezzo dalle scarpe. Papà, il giorno del suo matrimonio, non se n'è ricordato. Così in chiesa tutti hanno potuto leggere il cartellino: N. 43 - SCARTO - 10 SCELLINI.

Mercoledì 29 luglio
Matrimonio di Carlo e Diana!!!

Sono fierissimo di essere inglese!

Gli stranieri devono crepare d'invidia!

Quanto a cerimonie, siamo decisamente i primi del mondo. Devo ammettere che mi sono venute le lacrime agli occhi quando ho visto il popolino londinese, in piedi fin dall'alba, applaudire di cuore tutti i ricchi, eleganti e famosi che sfilavano in Rolls-Royce e in carrozza.

La nonna e Bert Baxter sono venuti a guardare il matrimonio da noi, perché abbiamo un tv color da 24 pollici. All'inizio è andato tutto bene, ma poi Bert si è ricordato di essere comunista e si è messo a urlare slogan antimonarchici come «quei ricchi reazionari» e «parassiti!» così la nonna l'ha rimandato dai Singh, che hanno un piccolo tv color portatile.

A parte le orecchie, il principe Carlo sembrava piuttosto bello. Suo fratello sì che è bellissimo: peccato che oggi non abbiano potuto scambiarsi la testa. Lady Diana mi ha commosso con il suo vestito bianco sporco. Ha persino aiutato un vecchietto ad attraversare la navata. Molto gentile da parte sua, considerato che era anche il giorno del suo matrimonio. C'era un fracco di gente famosa da morire. Nancy Reagan, Spike Milligan, Mark Phillips eccetera. La regina sembrava un po' gelosa.

Il principe si è ricordato di togliere il cartellino del prezzo dalle scarpe. Una preoccupazione di meno.

Quando il principe e Lady D si sono scambiati l'anello, mia nonna si è messa a piangere. Non aveva portato il fazzoletto e allora sono andato di sopra a prenderle un rotolo di carta igienica. Quando sono tornato da basso erano già sposati. Così mi son perso lo storico momento del matrimonio!

Durante il noioso intermezzo musicale ho preparato il tè, ma sono tornato davanti alla tele in tempo per vedere il canto di quella donna kiwi. Accidenti che polmoni.

La nonna e io ci stavamo preparando a seguire il trionfale ritorno a palazzo della coppia felice quando abbiamo sentito bussare violentemente alla porta. Non ci siamo neanche mossi, è dovuto venir giù ad aprire mio papà, che era a letto. C'erano Bert e i signori Singh con tutti i bambini che chiedevano ospitalità. Gli si era rotta la tele! La nonna ha fatto la faccia scura, non le piacciono neri, gialli, olivastri, irlandesi, ebrei e stranieri. Papà li ha fatti entrare, poi ha accompagnato a casa la nonna con la macchina. Bert e i Singh si sono messi davanti alla tele chiacchierando in indostano.

La signora Singh offriva dolcetti a tutti. Ne ho mangiato uno e poi ho dovuto bere tre litri d'acqua. Pensavo che la bocca avesse preso fuoco! Non erano mica dolcetti.

Abbiamo guardato la tele finché la coppia felice è partita da Victoria Station su un treno stranissimo. Bert ha detto che sembrava stranissimo solo perché era pulito.

È venuta la signora O'Leary a chiedere se poteva prendere le nostre sedie vecchie per il party in strada. In assenza di papà, io le ho detto di sì e l'ho aiutata a portarle sul marciapiede. La nostra via aveva un'aria stranissima senza macchine e con tutte le bandiere, i festoni e le luminarie.

La signora O'Leary e la signora Singh hanno spazzato la strada. Poi abbiamo piazzato in mezzo i tavoli e le sedie. Le donne hanno fatto tutto: gli uomini se ne stavano seduti sul muretto a bere troppo e a dire battute sul Matrimonio Reale.

Il signor Singh ha piazzato le casse dello stereo sul davanzale della finestra e abbiamo ascoltato un disco di Des O'Connor mentre apparecchiavamo la tavola con sandwich, tartine, salsicce e altra cibaria. Poi la signora O'Leary ha distribuito a tutti i vicini dei buffi cappelli di carta e ci siamo seduti a mangiare. Alla fine del tè il signor Singh ha fatto un discorso sulla fortuna di essere inglesi. Tutti sono diventati molto allegri e abbiamo cantato *Land of Hope and Glory*. Ma solo il signor Singh la sapeva tutta. Poi è apparso papà con quattro cartoni di birra leggera e ventiquattro bicchieri di carta, e ben presto tutti quanti hanno cominciato a comportarsi in maniera poco dignitosa.

Il signor O'Leary ha cercato di insegnare alla signora Singh la giga irlandese, ma continuava a impigliarsi nel suo sari. Ho messo su il mio disco degli Abba al massimo volume e ben presto anche i vecchi di quarant'anni e passa si sono messi a ballare! Quando si sono accesi i lampioni, Sean O'Leary ci si è arrampicato sopra e li ha incappucciati con carta oleata bianca, rossa e blu, per creare un'atmosfera. Io sono andato in casa a prendere le candele avanzate e le ho sistemate sulla tavola. Così la nostra via sembrava proprio alternativa.

Bert ha raccontato qualche palla sulla guerra, papà delle barzellette. La festa è andata avanti fino all'una di notte!

Normalmente, da noi, se ti schiarisci la voce dopo le undici di sera, i vicini protestano!

Io non ho ballato, ho fatto l'osservatore cinico. Oltre tutto mi facevano male i piedi.

Giovedì 30 luglio

Ho visto sette volte la replica delle nozze reali.

Venerdì 31 luglio
Luna nuova

Piene le palle delle nozze reali.

Pandora, l'amica del mendicante, torna a casa domani.

Sabato 1° agosto

Cartolina della mamma, vuole che vada in vacanza con lei e il lascivo Lucas. Vanno in Scozia. Spero che si divertano.

Il volo di Pandora è stato sospeso a causa di uno sciopero dei facchini tunisini.

Domenica 2 agosto
Settima dopo la SS. Trinità

I facchini sono sempre in sciopero. Un accattone ha rubato al padre di Pandora la carta di credito dell'American Express.

Pandora ha detto che sua mamma è stata morsicata da un cammello ma adesso la stanno medicando nella toilette delle donne all'aeroporto di Tunisi. È stato bellissimo risentire la sua dolce voce al telefono, ci siamo parlati per più di mezz'ora. È stata in gamba a riuscire a telefonare a carico del ricevente dalla Tunisia!

Lunedì 3 agosto
Giornata festiva in Scozia e nella repubblica d'Irlanda

I facchini tunisini hanno accettato di sedersi al tavolo delle trattative. Se tutto va bene, dice Pandora, saranno a casa giovedì.

Martedì 4 agosto

I facchini tunisini vedono la luce in fondo al tunnel. Pandora vive di datteri e mentine.

Mercoledì 5 agosto

I facchini tunisini hanno ricominciato a sfacchinare! *Pandora sarà a casa venerdì sera!*

Giovedì 6 agosto

Papà ha rifiutato una telefonata dalla Tunisia a carico del destinatario. Ci hanno tagliato le comunicazioni!

Venerdì 7 agosto
Primo quarto

Mentre papà faceva il suo solito lunghissimo bagno, ho telefonato in Tunisia. Ha gridato per sapere a chi telefonavo. Gli ho risposto all'ora esatta.

L'aereo di Pandora è regolarmente decollato. Dovrebbe arrivare intorno a mezzanotte.

Sabato 8 agosto

Alle sette del mattino mi ha telefonato Pandora dalla stazione di St. Pancras. A causa di lavori in corso sulla linea ferroviaria il treno arriverà in ritardo.

Mi sono vestito e sono andato alla stazione. Ho fatto il biglietto d'ingresso e ho aspettato per sei fredde e solitarie ore sul marciapiede del secondo binario. Quando sono tornato a casa ho trovato un biglietto di Pandora:

Adrian,
ti confesso che la tua freddezza circa il mio arrivo mi ha spezzato il cuore. Contavo che ci saremmo riabbracciati con passione sul marciapiede del terzo binario. Invece così non è stato.
Adieu.

Pandora

Sono volato a casa di Pandora. Le ho spiegato tutto. Ci siamo riabbracciati con passione nel ripostiglio degli attrezzi di suo padre.

Domenica 9 agosto
Ottava dopo la SS. Trinità

Ho toccato di nuovo il seno di Pandora. Stavolta mi pare di aver sentito del morbido. Il mio affare insiste a ingrossarsi e ritirarsi come se avesse vita propria. È una continua sorpresa.

Lunedì 10 agosto

Stamattina io e Pandora siamo andati in piscina. Pandora stava benissimo in tanga bianco. È diventata dello stesso colore della signora Singh. Siccome non avevo la minima fiducia nel buon comportamento del mio affare, mi sono seduto nei posti degli spettatori e ho guardato Pandora tuffarsi dal trampolino più alto. Sono tornato a casa con lei e le ho fatto vedere la mia camera nera. Ho acceso un bastoncino d'incenso. Ho messo su un disco degli Abba. Abbiamo limonato un po', poi a Pandora è venuto il mal di testa ed è tornata a casa sua.

Ero in preda a un'agitazione bestiale, ma mi è passata aiutando papà a dare il concime alle rose.

Martedì 11 agosto

Ho ricevuto un'altra cartolina dalla mamma.

Ciccio,
non sai che voglia ho di vederti. Il legame materno è quanto mai saldo. So che ti senti minacciato dal mio legame con Bimbo, ma veramente, non è il caso. Bimbo soddisfa le mie necessità

sessuali. Niente di più e niente di meno. Quindi, piccolo mio, cresci e vieni in Scozia.

Con tanto amore,

Pauline (mamma)

PS. Partiamo il quindici. Prendi il treno delle 8.22 per Sheffield.

Il postino ha commentato che se la mamma era sua moglie la frustava. Non conosce la mamma. Se uno alza il dito su di lei lo riduce in poltiglia.

Mercoledì 12 agosto

Secondo Pandora una temporanea separazione ci farà bene. Il nostro petting, finora medioleggero, tende a trasformarsi in breve in mediopesante. Devo ammettere che la tensione ha dei brutti effetti sulla mia salute. Non ho più vigore, perché i miei sogni sono ossessivamente affollati dai tanga di Pandora e dalle mutandine della signora O'Leary.

Forse farei meglio ad andare in Scozia.

Giovedì 13 agosto

Papà ha deciso di andare il quindici a Skegness. Ha affittato una roulotte a quattro posti. Porta Doreen e Maxwell!

E crede che io completi il quadretto.

Se ci vado, la gente crederà che Doreen sia mia mamma e Maxwell mio fratello! Vado in Scozia.

Venerdì 14 agosto

Tragica ultima notte con Pandora. Ci siamo giurati eterna fedeltà. Ho fatto le valigie. Ho portato il cane dalla nonna con quattordici scatole di Manzocan e un sacchetto grande di Vincibau.

Ho preso *Fuga dall'infanzia*, di John Holt, da leggere in treno.

Sabato 15 agosto
Luna piena

Il papà, Stick Insect e Maxwell mi hanno accompagnato alla stazione. Papà se ne frega che abbia scelto di andare in Scozia invece che a Skegness. Sembrava spudoratamente allegro. Il viaggio in treno è stato tremendo. Ho dovuto restare in piedi fino a Sheffield. Ho chiacchierato con una signora sulla sedia a rotelle nel ridotto del controllore. Era molto simpatica, diceva che l'unico vantaggio di essere handicappati è che si trova sempre il posto a sedere in treno!

La mamma e Lucas il lascivo mi aspettavano a Sheffield. Lei era molto dimagrita. Si è messa a vestirsi da ragazzina. Il lascivo era nientemeno che in jeans! Aveva la pancetta a balconcino sopra la cintura. Ho fatto finta di dormire fino in Scozia.

Lucas sfruculiava mia mamma anche mentre guidava.

Siamo in un posto che si chiama Loch Lubnaig. Sono a letto in una capanna di legno. La mamma e Lucas sono andati in paese a cercare delle sigarette. Questo almeno è quello che mi hanno raccontato.

Domenica 16 agosto
Nona dopo la SS. Trinità

Davanti alla capanna ci sono un lago, una pineta e una montagna. Non c'è un tubo da fare. Che noia!

Lunedì 17 agosto

Sono andato a fare il bucato nella capanna lavanderia. Ho parlato con un turista americano, Hamish Mancini; ha la mia stessa età. Sua mamma è in luna di miele per la quarta volta.

Martedì 18 agosto

Ha piovuto tutto il giorno.

Mercoledì 19 agosto

Ho spedito delle cartoline. Ho telefonato a Pandora (a carico del destinatario). Suo padre non ha accettato la telefonata.

Giovedì 20 agosto

Ho giocato a carte con Hamish Mancini. Sua mamma e il suo patrigno erano andati con mia mamma e il suo amante a vedere una cascata in auto. Che schifo!

Venerdì 21 agosto

Sono andato a piedi fino a Callander (cinque chilometri) a comprare le barrette al cioccolato. Ho giocato un po' a Space Invaders. Sono tornato per l'ora del tè. Ho chiamato Pandora dalla cabina telefonica (sempre a forma di baracca di legno). A carico del destinatario. Mi ama sempre. L'amo sempre. Sono andato a letto a sognarla in tanga.

Sabato 22 agosto
Ultimo quarto

Stato a vedere la tomba di Rob Roy. Vista, tornato indietro.

Domenica 23 agosto
Decima dopo la SS. Trinità

La mamma è diventata amica di una coppia, i Ball. Sono andati in gita a Stirling Castle. La signora Ball ha una figlia scrittrice. Le ho chiesto come fa sua figlia a qualificarsi tale: la signora Ball dice che da piccola è caduta battendo la testa e che da allora «è un po' strana».

Siccome è il compleanno della signora Ball, sono venuti tutti a festeggiarlo nella nostra capanna di legno. Mi sono lamentato per il rumore all'una, alle due, alle tre e alle quattro di notte. Alle cinque hanno deciso di scalare la montagna. Ho fatto notare loro che erano ciucchi persi, troppo vecchi, inesperti, non qualificati, ignari di qualsiasi tecnica di sopravvivenza, privi della cassettina del pronto soccorso, senza scarponi, cartine, bussola e bevande calde nel termos.

Le mie proteste sono cadute nel vuoto pneumatico. Hanno scalato tutti la montagna, sono tornati giù e alle undici e mezzo di mattina si sono messi a cucinare le uova al bacon.

Mentre scrivo, i Ball girano sul lago in canoa. Devono essere drogati.

Lunedì 24 agosto

Andati a Edimburgo. Visto il castello, il museo dei giocattoli, la pinacoteca. Comprato un panino tipico alle interiora di pecora. Tornati alla capanna di tronchi, letto *Glencoe*, di John Prebble. Ci andiamo domani.

Martedì 25 agosto

Il massacro di Glencoe ebbe luogo il 13 febbraio del 1692. Il 14 febbraio, John Hill scrisse al conte di Tweeddale: «Ho distrutto Glencoe».

Aveva ragione, non è rimasto niente. Domani andiamo a Glasgow.

Mercoledì 26 agosto

Siamo arrivati a Glasgow alle undici di mattina e ho contato ventisette ubriachi in un chilometro quadrato! Tutti i negozi hanno le inferriate sulle vetrine, meno quelli di liquori, che ostentano rotoli di filo spinato e cocci di bottiglie sul tetto. Abbiamo passeggiato un po', poi la mamma ha convinto Lucas il lascivo a portarla alla pinacoteca di Glasgow. Io volevo starmene in macchina a leggere *Glencoe,* ma per via di tutti gli ubriachi che giravano barcollando per strada li ho seguiti al museo.

Sono felicissimo di averlo fatto! Avrei potuto passare la vita senza fare quell'importante esperienza culturale!

Oggi ho visto la *Crocifissione* di Salvador Dalí!!! *Quella vera!* Non una riproduzione!

L'hanno appesa in fondo a un corridoio, così cambia a mano a mano che ti avvicini. Quando poi ce l'hai sotto il naso, ti senti un nano! È un capolavoro.

Con dei colori un po' strani e Gesù che sembra un tizio proprio vero. Ho comprato sei cartoline con la riproduzione alla cassa del museo, ma evidentemente non è la stessa cosa.

Un giorno porterò Pandora a vederla. Forse durante la luna di miele.

Giovedì 27 agosto

Oggi a Oban. Abbiamo incontrato i signori Swallow, che abitano nella via dopo la mia. Tutti non facevano che ripetere: «Com'è piccolo il mondo, eh?» La signora Swallow ha chiesto a Lucas il lascivo come stava sua moglie. Lucas le ha risposto che sua moglie l'ha lasciato per un'altra donna. Tutti sono arrossiti, gli Swallow hanno detto ancora una volta: «Be', è proprio piccolo il mondo, eh?» e se ne sono andati per la loro strada. Allora la mamma si è arrabbiata con Lucas: «Devi proprio dirlo a tutti?» lo ha assalito, e: «Come credi che ci si senta a vivere con l'alienato ex marito di una lesbica?» Lucas per un po' ha mugolato qualcosa, ma poi la mamma si è messa a fare la faccia della nonna e lui ha smesso.

Venerdì 28 agosto

Oggi a Fort William. Il Ben Nevis è stato un'altra delusione. Non si distingue né dove comincia né dove finisce in mezzo alle altre montagne e colline. Lucas è caduto in un *burn* (fiumicello in scozzese), disgraziatamente non abbastanza profondo da poterci affogare.

Sabato 29 agosto
Luna piena

Sono andato con Hamish Mancini a fare il giro del *loch*, il nostro laghetto scozzese. Hamish mi ha detto che secondo lui sua mamma si prepara al quarto divorzio. Stasera riparte: lunedì mattina ha appuntamento con lo psicanalista a New York.

Ho finito di fare le valigie e sto aspettando che la mamma e Lucas il lascivo tornino dalla loro furtiva scopata in pineta.

Domani all'alba si parte.

Domenica 30 agosto
Undicesima dopo la SS. Trinità

Ho fatto fermare Lucas a Gretna Green per comprare qualche souvenir. Ho preso un cristallo di quarzo a forma di lontra per Pandora; per Bert un berretto tipico scozzese; per il cane un collare di stoffa scozzese; per Stecchino dei biscotti in un sacchetto di stoffa scozzese; per Maxwell un orsacchiotto di pezza di stoffa scozzese. A mio papà ho comprato invece una tovaglia di stoffa scozzese per il tè.

Quanto a me ho optato per una cartelletta da scrittoio scozzese. Infatti mi sono deciso: farò lo scrittore.

Ecco un estratto da *I miei pensieri sulla Scozia*, saggio scritto a centocinquanta all'ora sull'autostrada M6:

La sacra nuvolaglia si apre scoprendo i maestosi picchi della Scozia, che si rivelano in tutta la loro maestà. Una forma nel cielo traslucido è all'improvviso un'aquila, il maestoso rapace. Con gli artigli pronti a ghermine atterra su un *loch*, lacerando la quieta maestà delle acque turbinose. Ivi l'aquila posa solo il tempo necessario a intingere il becco nel liquido elemento prima di aprire maestosamente le ali e volar via, su, su, su, verso il suo nido magistrale in cima alle nude, aride, spoglie colline.

Il bestiame delle Highlands. Maestosi animali cornuti che abbassano la maestosa testa irsuta dai bruni occhi bovini ruminando sui misteri di Glencoe.

C'è forse qualche «maestoso» di troppo ma nel complesso mi pare che vada. Quando l'avrò finito lo manderò alla BBC. Sono arrivato a casa alle sei del pomeriggio. Troppo stanco per scrivere altro.

Lunedì 31 agosto
Giornata festiva nel Regno Unito (tranne la Scozia)

Siamo tutti al verde. Le banche sono serrate e papà non ricorda il codice segreto del bancomat. Ha avuto la faccia tosta di farsi prestare cinque sterline da Bert Baxter. Bisogna non avere uno straccio di dignità per chiedere soldi in prestito a un pensionato.

Pandora e io siamo ora innamorati alla follia. La separazione è servita solo a dare fuoco alla nostra passione. Ogni volta che entriamo in collisione gli ormoni scalpitano. Ieri notte ha dormito con in mano la lontra di quarzo: come vorrei essere io quella lontra di quarzo!

Martedì 1° settembre

Il signor Singh deve tornare in India a occupar-si dei suoi vecchi, sicché ha detto a Bert di torna-re nella sua stamberga. Il signor Singh dice che non si fida a lasciare le sue donne sole in casa con Bert. Come può essere così stupido! Comunque Bert non se l'è presa: dice che lo considera un complimento.

Pandora e io andremo a pulire la casa di Bert e lo aiuteremo a traslocare. Deve al Comune 285 sterline di affitti arretrati. Siccome li dovrà pagare a rate di mezza sterlina alla settimana, è pratica-mente certo che Bert morirà in debito.

Mercoledì 2 settembre

Pandora e io siamo andati a casa di Bert. Uno squallore indicibile. Se Bert si curasse anche solo di rendere i vuoti delle bottiglie di birra che si è sco-lato, raccoglierebbe abbastanza denaro da pagare tutti gli arretrati.

Giovedì 3 settembre

Papà ci ha aiutato a portar fuori tutti i mobili di Bert. I tarli sono usciti a prendere il sole. Quando abbiamo sollevato i tappeti ci siamo accorti che

Bert camminava su uno strato di polvere, vecchi giornali, bigodini, mentine e topi putrefatti da anni. Abbiamo appeso i tappeti alla corda della biancheria in cortile e li abbiamo passati con il battipanni per tutto il pomeriggio, ma la polvere continuava a uscire. Verso le cinque Pandora si è eccitata, credeva di scorgere il disegno del tappeto, ma un osservazione più accurata ha rivelato trattarsi di un vecchio schizzo di torta alla crema. Torniamo domani con la lavatappeti elettrica della mamma di Pandora. Dice che è quella consigliata dall'Associazione Consumatori ma scommetto che non ha mai incontrato un tipo alla Bert Baxter.

Venerdì 4 settembre

Ho appena assistito a un miracolo! Stamattina i tappeti di Bert erano grigi: adesso uno è un Axminster rosso e l'altro un Wilton blu. Sono appesi ad asciugare. Intanto abbiamo scrostato i pavimenti e irrorato i mobili con un disinfettante fungicida. Pandora ha tirato giù le tende, che sono andate in pezzi prima di raggiungere il lavandino. Bert, seduto in poltrona, criticava e si lagnava. Non capisce proprio che cosa ci sia di male ad abitare in una casa sporca.

In effetti, che cosa c'è di male ad abitare in una casa sporca?

Sabato 5 settembre

Papà stamattina ha riportato i vuoti alla botti-
glieria. Ha riempito tutta la macchina. Adesso puzza di birra scura. Per la strada ha terminato la benzina e ha chiamato l'Automobile Club.

L'uomo del carro attrezzi è stato molto male-
ducato, ha detto a mio padre che piuttosto che
all'Automobile Club doveva rivolgersi agli Alcolisti
Anonimi.

Domenica 6 settembre
Dodicesima dopo la SS. Trinità. Primo quarto

La casa di Bert ha un aspetto splendido. Tutto è
pulitissimo e scintillante. Abbiamo piazzato il suo
letto in soggiorno, così può guardare la televisione
senza alzarsi. La madre di Pandora ha sistemato i
fiori in maniera molto artistica mentre suo padre ha
aperto sulla porta d'ingresso uno sportello per cani
alsaziani, così Sabre può andare e venire da solo.

Domani Bert si trasferisce.

Lunedì 7 settembre
Festa del lavoro negli Usa e in Canada

Ho ricevuto una lettera di Hamish Mancini per
posta aerea.

Ugh!

Gira bene, Adri? Spero che la Pandora-situazione sia liscia e ganza. Ha l'aria di essere una tipa tosta. Sono ancora sballato di Scozia: è la fine del mondo, veramente nucleare. Sei un grosso essere umano Adri, lo sai? Laggiù ero leggermente traumatizzato, meno male che qua c'è doc Eagelburger (il mio strizzacervelli) che mi ha ripreso in mano la libido da dio.

Invece è andata in crisi la ma', perché salta fuori che il signor Quarto è videodipendente quando inavvertitamente lei l'ha già sposato.

Che menata l'autunno, eh? Foglie del cazzo dappertutto.

Ci vediamo amico!!!

Hamish

L'ho fatta analizzare a Pandora, papà e Bert ma nessuno ci capisce niente. Bert poi ce l'ha con gli americani, perché, dice, hanno aspettato troppo a entrare in guerra.

Bert è entrato nella sua casa pulita. Non ha detto grazie, ma ha l'aria contenta.

Martedì 8 settembre

Giovedì ricomincia la fetentissima scuola. Ho provato la vecchia uniforme, mi arriva ai gomiti e ai polpacci. Domani papà dovrà comprarmene un'altra.

È incazzato nero ma cosa ci posso fare se il mio corpo è in crescita? Ormai sono solo cinque centimetri più basso di Pandora. L'affare è stazionario sui dodici centimetri.

Mercoledì 9 settembre

Ha telefonato la nonna, ha scoperto che papà è stato in vacanza a Skegness con Doreen e Maxwell. Dice che non gli rivolgerà mai più la parola.

Ecco la lista di quello che ho comprato:

Giacca	29,99 sterline
Pantaloni grigi (due paia)	23,98 sterline
Camicie bianche (due)	11,98 sterline
Golf grigi (due)	7,98 sterline
Calze nere (tre paia)	2,37 sterline
Calzoncini da ginnastica	4,99 sterline
Magliette da ginnastica	3,99 sterline
Tuta	11,99 sterline
Scarpe da ginnastica	7,99 sterline
Scarpe da football	11,99 sterline
Calze e parastinchi	2,99 sterline
Calzoncini da football	4,99 sterline
Maglia da football	7,99 sterline
Borsa Adidas	4,99 sterline
Scarpe nere (un paio)	15,99 sterline

Calcolatrice portatile	6,99 sterline
Penne e matite	3,99 sterline
Riga e squadre	2,99 sterline

Che saranno mai un centinaio di sterline? Gli è anche arrivata la liquidazione, non mi sembra il caso di gemere a letto come sta facendo adesso. È un pidocchio! Non ha neanche pagato con i soldi veri ma con la carta dell'American Express.

Pandora è venuta ad ammirarmi con l'uniforme nuova. Dice che ho buone probabilità di essere eletto capoclasse.

Giovedì 10 settembre

Cominciato in grande stile l'anno scolastico. Sono capoclasse! Il mio primo compito è stare al cancello a prendere il nome di quelli che arrivano in ritardo. Anche Pandora ha una carica pubblica, quella che avevo io l'anno scorso, capomensa.

Mi hanno dato l'orario nuovo, il mio piano di studi è stato accettato, mi hanno aggiunto solo qualche materia obbligatoria: matematica, inglese, educazione fisica e religione comparata. Sono libero di scegliere altre complementari fra le materie culturali e creative. Così ho scelto mass media (facilissimo, basta leggere i giornali e guardare la tele) e antropologia culturale (spero che sia una branca dell'educazione sessuale). È cambiato il professore di letteratura inglese, che adesso è un certo Dock. Ma non mi preoccupa, ormai leggo benissimo, anzi, posso aiutarlo io se s'impunta su qualche parola difficile.

Ho chiesto a papà cinque sterline e mezzo per la gita al British Museum. Si è imbestialito. «Ma che fine ha fatto l'istruzione gratuita?»

Venerdì 11 settembre

Ho avuto un lungo colloquio con il professor Dock. Gli ho spiegato che vengo da una famiglia d'un solo genitore, per giunta disoccupato e incazzoso come mio padre. Dock dice che non gli interessa niente, basta che i miei temi siano lucidi, intelligenti e chiari. In tal caso, per modo di dire, per lui potrei anche essere figlio di madre negra, lesbica e zoppa e di padre arabo, lebbroso, gobbo e nano. Ecco la cinica indifferenza dei professori.

Sabato 12 settembre

Ho scritto un tema lucido, intelligente e chiaro sulla fauna selvatica della Scozia. Al pomeriggio sono andato con papà a fare la spesa al supermercato Sainsbury. Ho visto Rick Lemon indeciso davanti alla frutta. Dice che scegliere la frutta è un atto scopertamente politico. Ha scartato le mele sudafricane, le golden francesi, le arance israelia-ne, i datteri tunisini e l'uva americana. Alla fine ha scelto il rabarbaro nostrano. «Benché», mi fa, «di forma fallica e dunque forse sessista.» La sua ra-gazza, Tetta (da Roberta), stava caricando il car-rello di riso e legumi. Aveva su la gonna lunga, ma ogni tanto si vedevano le caviglie pelose. Papà dice che, quanto a lui, preferisce quelle che si depilano artificialmente le gambe. Ha delle idee antiquate, mio padre. Gli piacciono le calze, le giarrettiere, le minigonne e le scollature profonde. Che gusti!

Domenica 13 settembre
Tredicesima dopo la SS. Trinità

Sono andato a trovare Blossom. Pandora non la monta più perché ormai tocca terra con i piedi. La settimana prossima le arriva un cavallo vero. Si chiama Ian Smith. Quelli che gliel'hanno venduto prima stavano in Africa, nello Zimbabwe.

Domani è il compleanno della mamma. Compie trentasette anni.

Lunedì 14 settembre
Luna piena

Prima di andare a scuola ho telefonato alla mam-ma. Non ha risposto nessuno. Sarà stata a letto con quel puzzone di Lucas.

La mensa scolastica è un vero schifo. Hanno eliminato il ragù, lo zabaglione e in genere tutti i cibi ricchi di calorie. Un menu tipico è il seguente: hamburger, fagioli in umido, patatine fritte, yogurt o frittelle di semolino. Non è una dieta sufficiente per chi è in fase di crescita. Ho intenzione di mandare una lettera di protesta alla signora Thatcher. Non sarà colpa nostra se cresceremo apatici e privi di fibra morale. Forse la signora Thatcher vuole che in futuro ci manchi l'energia per fare dimostrazioni.

Martedì 15 settembre

Barry Kent è arrivato in ritardo tre volte in una settimana. Purtroppo è mio dovere, in quanto capoclasse, segnalarlo a Scruton.

Mercoledì 16 settembre

Venerdì la nostra classe va al British Museum. Pandora e io ci siederemo vicini sul pullman. Porterò da casa il *Guardian,* così avremo un po' di privacy.

Giovedì 17 settembre

La Fossington-Gore ci ha fatto una lezione sul British Museum. Ha detto che è «un'affascinante raccolta di tesori dell'arte mondiale». Nessuno ascoltava: guardavamo tutti come si toccava il seno sinistro quando si infervorava.

Venerdì 18 settembre

2.00. Sono appena arrivato da Londra. L'autista del pullman è impazzito e ha dato spettacolo in autostrada. Sono ancora troppo scosso dall'esperienza per essere in grado di redigere un lucido e intelligente rapporto sui fatti di oggi.

Sabato 19 settembre

La scuola deve avere un chiaro resoconto, da parte di un osservatore spassionato, dei fatti accaduti all'andata, durante la permanenza e al ritorno da Londra. Io sono l'unica persona qualificata a stenderlo. Pandora, con tutte le sue qualità, non possiede i miei nervi d'acciaio.

Gita della Quarta D al British Museum

7.00. Imbarco sul pullman.

7.05. Colazione al sacco.

7.10. Pullman fermo. Barry Kent sta male.

7.20. Pullman fermo. Claire Nelson scende a far pipì.

7.30. Il pullman esce dal cancello della scuola.

7.35. Il pullman rientra a scuola. La signora Fossington-Gore aveva dimenticato la borsa.

7.40. L'autista del pullman si comporta in maniera un po' strana.

7.45. Il pullman si ferma perché Barry Kent sta male un'altra volta.

7.55. Imbocchiamo l'autostrada.

8.00. L'autista del pullman blocca l'automezzo e intima agli allievi di smetterla di fare gesti osceni ai camionisti.

8.10. L'autista del pullman si infuria. Rifiuta di ripartire se i «dannati professori non tengono la disciplina».

8.20. La Fossington-Gore riesce a far sedere tutti.

8.25. Si riparte lungo l'autostrada.

8.30. Tutti cantano «Dieci bottiglie verdi».

8.35. Tutti cantano «Dieci sputazze verdi».

8.45. L'autista del pullman interrompe il coro con altissime urla.

9.15. L'autista del pullman ferma a una stazione di servizio. Lo si vede bere nervosamente da una fiaschetta.

9.30. Barry Kent offre a tutti tavolette di cioccolato rubate alla stazione di servizio. La Fossington-Gore sceglie il cioccolato fondente.

9.40. Barry Kent sta male in pullman.

9.50. Stanno male due ragazze sedute vicino a Barry Kent.

9.51. L'autista del pullman rifiuta di fermarsi lungo l'autostrada.

9.55. La Fossington-Gore sparge un sacchetto di sabbia sul vomito.

9.56. La signora Fossington-Gore rimette.

10.30. Il pullman è in coda sulla terza corsia. Tutte le altre sono chiuse per lavori in corso.

11.30. Scoppia una rissa sul sedile in fondo al pullman in coda al casello.

11.45. Termina la rissa. La Fossington-Gore trova la cassetta del pronto soccorso e cura dei feriti. Barry Kent mandato a sedere vicino all'autista per punizione.

11.50. Si guasta il pullman.

11.55. L'autista del pullman sviene tra le braccia dell'uomo del soccorso stradale.

12.30. La quarta D sale sul bus per St. Pancras.

13.00. La quarta D si trasferisce a piedi da St. Pancras al British Museum attraverso il quartiere di Bloomsbury.

13.15. La Fossington-Gore suona il campanello di Tavistock House per chiedere al dottor Laing di sottoporre Barry Kent a una breve visita. Ma il dottor Laing è in America a tenere delle conferenze.

13.30. Si entra al British Museum. Adrian Mole e Pandora Braithwaite a bocca aperta di fronte all'eredità della cultura universale. Il resto della quarta D fa un casino del diavolo, sghignazza davanti alle statue nude e sfotte i custodi.

14.15. La Fossington-Gore ha un collasso. Adrian Mole telefona al preside Scruton (a carico del destinatario). Scruton è in riunione con i bidelli in sciopero e non può essere disturbato.

15.00. I custodi del museo circondano la quarta D e la spingono fuori dal museo. Ci sediamo sui gradini.

15.05. Turisti americani fotografano Adrian Mole dicendo che è un «azzimato scolaretto inglese».

15.15. La Fossington-Gore si riprende e conduce la quarta D in giro per Londra.

16.00. Come Adrian Mole aveva predetto, Barry Kent salta nella fontana di Trafalgar Square.

16.30. Barry Kent scompare in direzione di Soho.

16.35. Arriva la polizia, ci carica su un pullman e si occupa di organizzarci il viaggio di ritorno. I genitori vengono informati telefonicamente del nuovo orario. Scruton è rintracciato a casa. Crisi isterica di Claire Nelson. Pandora Braithwaite dice alla professoressa Fossington-Gore che è la vergogna della categoria insegnante. La Fossington-Gore promette di dimettersi.

17.00. Barry Kent rintracciato in un sex-shop. Incriminato per furto di crema «Viengrosso» e di due «Solletichini».

19.00. Il pullman esce scortato dal cortile della polizia.

19.30. La scorta ci saluta sventolando la mano.

19.35. L'autista prega Pandora Braithwaite di mantenere l'ordine.

19.36. Pandora Braithwaite mantiene l'ordine.

20.00. La Fossington-Gore redige in viaggio la sua lettera di dimissioni.

20.30. L'autista del pullman, colpito da un accesso di follia, accelera. Trattasi di sindrome velocistica autostradale.

20.40. Arrivo. Le gomme del pullman fumano. La quarta D è stravolta dal terrore. La signora Fossington-Gore scortata via da Scruton. I genitori minacciano un linciaggio. La polizia arresta l'autista.

Domenica 20 settembre
Quattordicesima dopo la SS. Trinità. Ultimo quarto

Sono preda di attacchi d'ansia tutte le volte che mi viene in mente Londra, la cultura universale e l'autostrada M1. I genitori di Pandora stanno sporgendo reclamo nei confronti di qualsivoglia autorità coinvolta nella gita.

Lunedì 21 settembre

Il signor Scruton ha fatto i complimenti a me e a Pandora per le nostre qualità di leader. La Fossington-Gore è a casa in malattia. Tutte le gite scolastiche sono state sospese.

Martedì 22 settembre

La polizia ha rilasciato l'autista riconoscendogli l'attenuante della grave provocazione. Anche il sex-shop non denuncerà Barry Kent perché ufficialmente è ancora un bambino. Un bambino! Barry Kent non è mai stato un bambino.

Mercoledì 23 settembre

Il signor Scruton ha letto poco fa il mio resoconto della gita a Londra. Mi ha riconosciuto due punti di merito. Stamattina ho letto sul giornale che il British Museum intende abolire le visite delle classi scolastiche.

Giovedì 24 settembre

Pandora e io ci godiamo la fine dell'autunno insieme, passeggiando tra le foglie morte e aspirando il fumo dei tradizionali falò augurali. È il primo anno che riesco a superare un ippocastano senza tirargli il rituale bastoncino.

Pandora dice che sto maturando molto molto in fretta.

Venerdì 25 settembre

Stasera sono andato con Nigel in cerca di casta-gne matte. Ne ho trovate cinque enormi e lui nem-meno una passabile. Ah! Ah! Ah!

Sabato 26 settembre

Ho portato Blossom da Bert. In questi giorni il vecchio Bert non cammina volentieri.

Blossom sarà venduta a una famiglia ricca: una bambina, Camilla, imparerà a cavalcare su di lei. Pandora dice che questa Camilla è così smorfiosa che non si capisce niente di quello che dice. Bert era tristissimo: «Io e te, vecchia mia, finiremo tutti e due dal rigattiere!»

Domenica 27 settembre
Quindicesima dopo la SS. Trinità

Blossom se n'è andata alle dieci e mezzo. Le ho dato una mela da 16 pence per distrarla dallo stra-zio. Pandora si è messa a correre dietro il furgone gridando: «Ho cambiato idea!» ma quello ha prose-guito la sua strada.

Pandora ha cambiato idea anche su Ian Smith. Non vuol più avere altri pony o cavalli. Si sente in colpa per la vendita di Blossom.

Ian Smith è arrivato alle due e mezzo del pomeriggio ed è stato rimandato indietro. C'era un'ombra maligna sul suo muso nero, mentre lo riportavano via. Il papà di Pandora andrà in banca domattina presto ad annullare l'assegno di giovedì scorso. Anche sulla sua faccia c'era un'ombra nera.

Lunedì 28 settembre
Luna nuova

Bert ha male alle gambe. Il dottore ha detto che gli occorre un'infermiera ogni giorno. Oggi sono stato da lui, ma è troppo pesante e non riesco a portarlo in giro. L'infermiera del nostro distretto sanitario sostiene che Bert sarebbe assistito meglio alla casa di riposo. Ma non credo che ci andrà. Ci passo davanti tutte le mattine andando a scuola, sembra un museo, e i vecchi sembrano reperti.

Bert, sei vecchio da morire ormai.
Ami Sabre, barbabietole e Woodbine.
Nulla abbiamo in comune:
io ho quattordici anni e mezzo
ottantanove tu.
Tu puzzi, io no.
Siamo amici: ma il perché
è un mistero per me.

Martedì 29 settembre

Bert non va d'accordo con l'infermiera del distretto. Dice che non gli va di farsi ravanare da una donna nelle parti intime. A me, personalmente, non dispiacerebbe.

Mercoledì 30 settembre

Sono contento che settembre sia quasi finito, non mi ha portato che casini. Blossom è andata via; Pandora è triste; Bert non può più camminare. Papà è sempre senza lavoro. La mamma sempre assieme a quel verme di Lucas.

Giovedì 1° ottobre

7.30. Mi sono appena alzato: ho un sacco di brufoli schifidi sul mento! Come potrò guardare in faccia Pandora?

22.00. L'ho evitata per tutto il giorno ma alla mensa mi ha affrontato. Ho cercato di mangiare con la mano rigorosamente sul mento ma si è dimostrato troppo difficile. Gliel'ho rivelato giunti allo yogurt. Ha accettato l'inconveniente con molta tranquillità. Ha detto che non faceva nessuna differenza per il nostro amore, ma non posso fare a meno di pensare che stasera, quando ci siamo lasciati dopo il circolo giovanile, i suoi baci erano meno appassionati del solito.

Venerdì 2 ottobre

18.00. Sono molto infelice e ancora una volta mi sono rivolto, per averne conforto, alla grande letteratura. Non mi sorprende che gli intellettuali si suicidino, impazziscano o si ammazzino dal bere. Siamo più sensibili degli altri. Sappiamo che il mondo è corrotto e il mento pieno di brufoli.

Sto leggendo *Pensieri sul progresso, la coesistenza pacifica e la libertà intellettuale,* di Andrei D. Sakharov.

Stando alla fascetta che c'è in copertina, è un documento di inestimabile valore.

23.30. Pensieri sul progresso, la coesistenza pacifica

e la libertà intellettuale, stando a me, Adrian Mole, è un documento inestimabilmente *palloso.*

Sono inoltre in disaccordo con l'analisi di Sakharov sulle cause del revival dello stalinismo. Parlo con conoscenza di causa, perché stiamo proprio facendo la Russia a geografia.

Sabato 3 ottobre

Pandora sta raffreddandosi. Oggi non è venuta con me da Bert. Ho dovuto fare i mestieri da solo.

Come al solito, nel pomeriggio sono andato al supermercato Sainsbury. Stanno già vendendo i dolci di Natale. Mi sembra che la vita mi scivoli tra le dita.

Sto leggendo *Cime tempestose.* Brillante. Se potessi portare Pandora su qualche collina sono sicuro che la vecchia passione tornerebbe a divampare.

Domenica 4 ottobre
Sedicesima dopo la SS. Trinità

Ho convinto Pandora a iscriversi al corso di sopravvivenza organizzato dal circolo giovanile sulle montagne del Derbyshire. Rick Lemon ci ha dato il modulo che i nostri genitori dovranno firmare e l'elenco delle cose necessarie. (Nel mio caso firmerà un solo genitore, mio padre.) Ho solo due settimane di tempo per raggiungere la forma fisica. Cerco di fare cinquanta piegamenti sulle braccia al giorno, ma il mio massimo al momento è diciassette.

Lunedì 5 ottobre

Bert è stato rapito! La pubblica assistenza l'ha sequestrato e adesso è all'ospizio. Sono stato a trovarlo. Divide la stanza con un vecchio che si chiama Thomas Bell. Sul portacenere ci sono i loro nomi incisi. Sabre è stato affidato alla Protezione Animali.

Il nostro cane si è perduto.

Martedì 6 ottobre
Primo quarto

Andato con Pandora a trovare Bert. È stata solo una perdita di tempo.

La sua stanza ha avuto uno strano effetto su di noi: ci ha fatto passare la voglia di dire qualunque cosa. Bert dice che farà causa alla pubblica assistenza per violazione dei diritti dell'uomo. Dice che lo fanno andare a letto alle nove e mezzo! Non è giusto, perché era abituato a star su fino alla fine delle trasmissioni. Uscendo siamo passati dall'atrio. Le vecchiette stavano sedute contro il muro. La televisione era accesa ma non la guardavano, sembravano assorte in chissà quali pensieri.

La pubblica assistenza ha dipinto le pareti di arancione per creare un po' d'allegria: non deve essere servito, a giudicare dalle facce.

Mercoledì 7 ottobre

Thomas Bell è morto stanotte. Bert dice che nessuno lascia vivo l'ospizio. È preoccupato da morire di morire. È rimasto l'unico uomo in tutto l'ospizio: Pandora dice che le donne campano di più degli uomini. Dice che è una specie di premio perché le donne, prima, soffrono di più.

Il nostro cane è sempre latitante. Ho messo un avviso all'edicola del signor Cherry.

Giovedì 8 ottobre

Bert è ancora vivo, così oggi sono andato a trovarlo con Sabre. Ho sorretto Bert fino alla finestra della sua camera e gli ho fatto vedere Sabre sul prato, di sotto. L'ha salutato con la mano. I cani non possono entrare nell'ospizio. È un'altra delle loro asfissianti regole.

Il nostro cane è sempre via, se il suo è uno scherzo, sta esagerando.

Venerdì 9 ottobre

La direttrice dice che, se si ripiglia, Bert potrà uscire per tutto il giorno, domenica. Verrà da noi, per il pranzo e per il tè. È arrivata la bolletta del telefono. L'ho imboscata sotto il materasso: 289 sterline e 19 pence.

Sabato 10 ottobre

Sono davvero preoccupato per il cane. È svanito dalla faccia del quartiere. Nigel, Pandora e io abbiamo setacciato tutti i vicoli ciechi ma senza risultato.

Un'altra ansia è mio padre. Sta a letto fino a mezzogiorno, poi si frigge qualcosa a caso in padella, apre una scatoletta e una bottiglia, e si mette a guardare la tele. Non prova nemmeno a cercarsi un altro lavoro. Ha bisogno di un bagno, e di farsi barba e capelli. Martedì prossimo a scuola c'è la festa dei genitori: ho portato in tintoria il suo abito migliore.

Ho comprato un libro su una bancarella per soli cinque pence: è di uno scrittore di scarso successo, un certo Drake Fairclough, si chiama *Alta cucina per la terza età*. Bert viene a pranzo domani. Il papà di Pandora ha rinunciato al telefono quando ha scoperto la storia delle chiamate a carico.

Domenica 11 ottobre
Diciassettesima dopo la SS. Trinità

Visita di Bert. Stamattina mi sono alzato presto e ho spostato i mobili dal corridoio d'ingresso, in modo che la carrozzella di Bert potesse passare. Ho preparato il caffè a mio padre e gliel'ho portato a letto, poi mi sono messo a cucinare il *coq au vin* geriatrico. Mentre cuoceva, sono tornato di sopra a svegliare di nuovo papà. Quando sono sceso da basso lo sapevo che il pollo era fottuto: si era asciugato tutto l'aceto e il coq era carbonizzato. Mi sono irritato perché doveva essere il mio debutto culinario. Volevo colpire Pandora con la rivelazione dei miei molti talenti, credo che cominci a scocciarsi dei discorsi sulla grande letteratura e l'industria norvegese del cuoio.

Quando il padre di Pandora è andato a prenderlo all'ospizio, Bert ha insistito per portarsi dietro una grossa cassa. Così io ho dovuto infilarmi nel portabagagli assieme alla carrozzella di Bert. C'è voluto un secolo per tirarlo fuori dalla macchina e caricarlo sulla carrozzella: quasi altrettanto tempo c'è voluto per tirar giù dal letto papà.

Il padre di Pandora è rimasto da noi per un drink veloce, poi per l'aperitivo, poi per un brindisi a Bert, poi per il bicchiere della staffa. Poi ne ha bevuto un altro per dimostrare che non si ubriacava mai prima di sera. Le labbra di Pandora hanno cominciato a stringersi (le donne devono insegnarlo alle bambine molto presto), poi lei ha sequestrato le chiavi della macchina del genitore e ha telefonato alla madre di venire a prenderselo. Io nel frattempo ho dovuto sciropparmi papà che faceva l'imitazione di Frank Sinatra in *One for my baby and one for the road*. Intanto il padre di Pandora faceva finta di essere il barista con lo shaker. Quando è arrivata la mamma di Pandora, i due erano al coro degli ubriachi, e le sue labbra erano così strette che non si vedevano neanche più. Ha ordinato a Pandora e al marito di uscire e di salire in macchina, poi ha detto a papà che era tempo che si rimettesse un po' insieme. Ha detto che capiva benissimo che mio padre si sentisse umiliato, amareggiato e alienato perché era disoccupato, ma che lui doveva ricordarsi sempre che stava dando il cattivo esempio a un adolescente impressionabile. Poi se n'è andata via in macchina a dieci all'ora. Pandora mi ha mandato un bacio dal finestrino posteriore.

Vorrei precisare con fermezza che nulla di quanto possa fare mio padre mi impressiona più.

A pranzo abbiamo mangiato curry precotto e riso; la signora Singh è venuta a trovarci mentre mangiavamo e si è messa a parlare in indostano con Bert. Sembrava che il nostro curry la facesse ridere: non faceva che additarlo e sghignazzare. Qualche volta penso di essere l'ultima persona beneducata al mondo.

Bert ha rivelato a papà che la direttrice dell'ospizio cerca di avvelenarlo. Papà ha replicato che la sbobba delle mense è sempre quella. All'ora di andare, Bert si è messo a piangere. Diceva: «Non fatemi ritornare là!» e altre cose molto tristi. Papà gli ha spiegato che non siamo in grado di badargli in casa nostra, dopodiché l'abbiamo portato alla macchina, anche se lui continuava ad azionare il freno della carrozzella. Ci ha chiesto di tenere la sua cassa in casa nostra. Dice di aprirla alla sua morte. La chiave ce l'ha al collo, appesa a una striscia di cuoio.

Il cane è irreperibile.

Lunedì 12 ottobre
Festa di Cristoforo Colombo negli Usa
Giorno del Ringraziamento in Canada

Stasera sono andato al circolo giovanile «Lontani dalla strada». Rick Lemon ha tenuto una conferenza sulle tecniche di sopravvivenza. Ci ha detto che la cosa migliore da fare quando si soffre di ipotermia è infilarsi in un sacco di plastica con una donna nuda. Pandora ha espresso una vibrata protesta e Tetta, la ragazza di Rick Lemon, se n'è andata sdegnata. Che fortuna! In alta montagna con delle donne frigide!

Cane introvabile.

Martedì 13 ottobre
Luna piena

Ha telefonato la nonna arrabbiatissima chiedendo quando ci decideremo a riprenderci il cane! Lo stupido botolo si è rifugiato a casa sua il 6 ottobre. Sono andato immediatamente a prenderlo e sono rimasto scioccato dalle sue condizioni: è invecchiato e grigio. In anni umani è undicenne. In anni canini, sarebbe un pensionato. Non ho mai visto un cane invecchiare così di colpo. Questi otto giorni dalla nonna devono essere stati infernali. La nonna è molto severa.

Mercoledì 14 ottobre

Mi sono quasi abituato alle vecchiette dell'ospizio, ormai. Ci passo tutti i pomeriggi, tornando a casa da scuola. Sembrano contente di vedermi. Ce n'è una che mi sta facendo uno scialle per l'esercitazione di sopravvivenza in montagna. Si chiama Queenie.

Stasera sono riuscito a fare trentasei piegamenti e mezzo.

Giovedì 15 ottobre

Sono andato al circolo giovanile a provare gli schifosi scarponi usati che Rick Lemon ha noleggiato in un negozietto di articoli sportivi. Per farmene andar bene un paio devo mettermi tre paia di calze. Siamo in sei eroi, al seguito di Rick.

Non è qualificato, ma esperto di sopravvivenza in condizioni difficili. È nato e cresciuto nella New Town di Kirkby. Sono andato al supermercato a comprarmi le cose indispensabili per il corso di sopravvivenza. Siccome dobbiamo portarci tutto nello zaino, il peso è un fattore importante. Ho preso:

Una scatola di corn-flakes
Un litro di latte
Una scatola di bustine di tè
Una scatola di rabarbaro
Due chili di patate
Due etti di lardo
Due etti di burro
Due filoni di pane
Quattro etti di formaggio
Due pacchetti di biscotti
Un chilo di zucchero
Un rotolo di carta igienica
Detersivo
Due scatole di tonno
Una scatola di spezzatini

Sono riuscito a malapena a trasportare tutto dal supermercato a casa. Come farò a scalare le mon-

tagne con quella roba in spalla? Papà mi ha suggerito di lasciare a casa qualcosa. Così ho scartato la
carta igienica e i corn-flakes.

Venerdì 16 ottobre

Ho deciso di non portarmi dietro il diario. Non
posso essere sicuro che non venga letto da occhi
malevoli. Poi non entra nello zaino.

Adesso devo smettere, sento il clacson nervoso
del guidatore del minibus!

Sabato 17 ottobre

Domenica 18 ottobre
Diciottesima dopo la SS. Trinità

20.00. Fantastico tornare alla civiltà dei consu-
mi! Negli ultimi due giorni ho vissuto ai limiti della
sopravvivenza. Dormendo sulla nuda terra con un
sottile sacco a pelo come unico diaframma fra me
e gli elementi. Cercando di cucinare patate su un
fornelletto stitico! Guadando torrenti con pesantissimi anfibi! Soddisfacendo i bisogni fisiologici
all'aperto! Pulendomi il sedere con le foglie! Senza
poter fare mai il bagno né lavarmi i denti! Senza
televisione né radio né giornali! Quando si è messo a piovere, Rick non ci ha neanche permesso di
stare nel minibus! Diceva che dovevamo trovar-

ci un riparo naturale! Pandora ha trovato un sacchetto di plastica per mangimi e ci siamo seduti sotto a turno.

Come abbia fatto a sopravvivere è un enigma. Ho rotto le uova, infradiciato il pane, schiacciato i biscotti e nessuno aveva un apriscatole. A momenti morivo di fame. Grazie a Dio il formaggio non perde, non si rompe, non si bagna e non è in scatola. Sono stato contentissimo quando ci hanno trovato i soccorritori e ci hanno condotto al rifugio delle guide. Rick Lemon è stato redarguito perché non aveva né carta né bussola. Rick ha detto che conosceva quelle alture come il palmo della sua mano. Il capo delle guide ha replicato che evidentemente portava sempre i guanti visto che eravamo a sette miglia dal pulmino e puntavamo nella direzione opposta.

Sto per addormentarmi in un letto per la prima volta in due giorni! Domani non mi presento a scuola: ho troppe vesciche.

Lunedì 19 ottobre

Devo tenere a riposo i piedi per due giorni. Il dottor Gray è stato molto sgradevole: ha detto che non dovevamo disturbarlo per un paio di vesciche.

Sono rimasto molto sbalordito da questo suo atteggiamento. È ben noto che agli alpinisti spesso va amputato l'alluce.

Martedì 20 ottobre
Ultimo quarto

Eccomi a letto, impossibilitato a camminare per via dell'atroce dolore, e papà ottempera alle sue responsabilità parentali limitandosi a gettarmi un panino al bacon tre volte al giorno!

Se la mamma non torna a casa in fretta, finirò zoppo e denutrito. Abbandonato lo sono già.

Mercoledì 21 ottobre

Mi sono trascinato, zoppicando, fino alla scuola. Tutti i professori sono tirati perché stasera c'è la festa dei genitori. Papà si è ripulito e si è messo il vestito figo. Grazie a Dio è molto elegante. Non si direbbe che è un disoccupato. Tutti i miei professori gli hanno detto che a scuola vado benissimo.

Il papà di Barry Kent, invece, ha un'aria molto, molto giù. Ah! Ah! Ah!

Giovedì 22 ottobre

Arrivato zoppicando fino a metà strada verso scuola. Il cane mi ha seguito. Zoppicato fino a casa. Chiuso il cane nella carbonaia. Zoppicato fino a scuola. Un quarto d'ora di ritardo. Il signor Scruton dice che per il capoclasse addetto alla sorveglianza dei ritardi non è bello arrivare in ritardo. È facile parlare. Lui arriva a scuola su una Ford Cortina e poi deve solo fare il preside. Invece io ho un sacco di grane e niente macchina.

Venerdì 23 ottobre

Ho ricevuto una lettera dall'ospedale: mi tolgono le tonsille martedì 27. Una vera tegola! Papà dice che ero in lista d'attesa da quando avevo cinque anni. Così ho dovuto rassegnarmi a un attacco annuale di tonsillite acuta per nove anni solo perché il servizio sanitario nazionale è in deficit.

Ma perché non le tolgono le ostetriche, le tonsille, al momento della nascita? Si risparmierebbero un sacco di scocciature, dolore e soldi.

Sabato 24 ottobre
Giornata dell'ONU

Sono andato a comprarmi una vestaglia nuova, e poi mutande, ciabatte, pigiama e salviette. Papà si è lamentato, come al solito. Non capisce perché non posso andare all'ospedale con i vestiti vecchi. Gli ho detto che mi sento ridicolo; con la vestaglia con Peter Pan e il pigiama con l'orso Yoghi. A parte i disegni, sono pieni di rammendi. Mi ha risposto che, quand'era ragazzo, lui dormiva in una camicia da notte fatta con due vecchi sacchi di carbone cuciti insieme. Ho telefonato alla nonna per controllare questa affermazione sospetta e l'ho costretto a ripeterla al telefono. La nonna ha detto che non erano sacchi di carbone ma di farina.

Spese per l'ospedale: 54 sterline e 19 pence. E non ho ancora comprato le arance, il cioccolato e la bibita alle vitamine. Pandora dice che con la vestaglia nuova di nailon sembro Noel Coward. Le ho risposto: Grazie. Pandora. Ma chi è Noel Coward? Spero che non sia responsabile di stragi o roba truce.

Domenica 25 ottobre
Diciannovesima dopo la SS. Trinità
Termina l'ora legale nel Regno Unito

Ho telefonato alla mamma dicendole che mi fanno l'operazione. Nessuna risposta. Tipico! Meglio uscire con quel verme di Lucas che consolare il suo unico figlio che stanno per fare a pezzi!

Ha telefonato la nonna e mi ha comunicato che conosceva uno che conosceva uno che conosceva uno che quando gli hanno levato le tonsille è morto dissanguato in sala operatoria. Ha riattaccato dicendo: «Non preoccuparti, Adrian, sono sicura che a te andrà tutto bene».

Grazie mille nonna!

Lunedì 26 ottobre
Giornata festiva nella repubblica d'Irlanda

11.00. Ho fatto la valigia, poi sono andato a trovare Bert. Sta peggiorando: forse è l'ultima volta che ci vediamo. Anche Bert conosceva uno che è morto dissanguato in seguito a una tonsillectomia. Spero che sia la stessa persona di mia nonna.

Ho detto addio a Pandora: ha pianto. Molto commovente. Mi ha dato un vecchio ferro di cavallo di Blossom da portare all'ospedale. Mi ha raccontato che un amico di suo padre, a cui dovevano togliere una cisti, non si è più svegliato dall'anestesia. Sarò ricoverato alle due del pomeriggio ora di Greenwich.

18.00. Papà se n'è appena andato, dopo aver ciondolato quattro ore in attesa che gli dessero il permesso di farlo. Mi hanno esaminato ogni parte del corpo. Mi hanno prelevato sostanze liquide. Mi hanno pesato, palpato, lavato, punzecchiato, ma nessuno mi ha guardato in gola!

Ho messo il nostro *Il medico in casa* sul comodino, così i dottori stanno in guardia. Non ho visto il resto della corsia, perché le infermiere non hanno ancora tirato le tende. Sul mio letto hanno appeso un cartello che dice: DIETA LIQUIDA. Sono terrorizzato.

22.00. Sto morendo di fame! Un'infermiera negra mi ha portato via tutta la roba da mangiare e da bere che avevo comprato. Dovrei dormire, adesso, ma c'è un casino infernale. Ci sono dei vecchietti che non fanno che cadere dal letto.

24.00. Hanno cambiato il cartello: Niente per via orale. Sto morendo di sete! Darei il braccio destro per una lattina di acqua tonica.

Martedì 27 ottobre
Luna nuova

4.00. Sono disidratato!

6.00. Mi hanno svegliato! E l'operazione è alle dieci! Non potevano lasciarmi dormire? No, devo fare un altro bagno! Gli ho detto che è *di dentro* che devono operarmi ma niente, non mi stanno nemmeno a sentire.

7.00. Un'infermiera cinese è rimasta nel bagno con me per sincerarsi che non bevessi l'acqua. Non ha fatto che fissarmi, così mi sono coperto l'affare con la spugna dell'ospedale.

7.30. Mi hanno vestito come un pazzo! Sono pronto per essere aperto! Mi hanno fatto un'iniezione che doveva farmi dormire, ma sono qui sveglissimo ad ascoltare un litigio a proposito della scomparsa della cartella clinica di un paziente.

8.00. Ho la bocca completamente secca, impazzirò per la sete, non bevo niente da ieri sera alla 9.45, e mi sento una po' fuori. Le crepe del soffitto formano dei disegni interessantissimi. Devo trovare un posto dove nascondere il mio diario! Non voglio che qualche ficcanaso lo legga!

8.30. È arrivata la mamma! È al mio capezzale! Nasconderà il diario nella sua borsa. Mi ha promesso sulla testa del cane che non lo leggerà.

8.45. È andata a fumarsi una sigaretta. Nell'interno dell'ospedale! E ha l'aria invecchiata, sbattuta. Sarà la lussuria che incomincia ad aver ragione della sua fibra.

9.00. I carrelli operatori cominciano ad arrivare in corsia e a scaricare gente addormentata sui letti. Gli infermieri portano camici verdi e stivaletti. Chissà quanto sangue è sparso sul pavimento, in sala operatoria.

9.15. Il carrello viene nella mia direzione.

24.00. Sono privo di tonsille. Che male! La mamma ci ha messo un quarto d'ora a ritrovare il diario in uno scomparto della borsa. Si vede che è troppo complicata per lei. Ce ne sono diciassette.

Mercoledì *28* ottobre

Non riesco a parlare. Perfino un grugnito mi provoca un'atroce agonia.

Giovedì *29* ottobre

Sono stato trasferito in un altro reparto. Si vede che la mia sofferenza è insopportabile per gli altri pazienti. Ho ricevuto un bigliettino prestampato con gli auguri di pronta guarigione da Bert e Sabre.

Venerdì 30 ottobre

Stamattina sono riuscito a sorbire un po' di brodo che mi ha portato la nonna nel termos. Papà mi ha portato un chilo di wafer: poteva portarmi delle lamette da barba, già che c'era.

È venuta a trovarmi Pandora all'ora delle visite. Ho potuto sussurrarle ben poco. La conversazione non ha senso quando si oscilla tra la vita e la morte.

Sabato 31 ottobre
Halloween

3.00. Mi sono visto costretto a lamentarmi del rumore proveniente dalla stanza delle infermiere. Sono stufo di ascoltare (e di vedere) infermiere ubriache e poliziotti fuori servizio che si aggirano per il giardino mascherati da maghi e da streghe. L'infermiera Boldry stava facendo qualcosa di particolarmente sgradevole con una zucca.

Domenica 1° novembre
Ventesima dopo la SS. Trinità

Le infermiere sono gelide con me. Dicono che sto occupando un letto che servirebbe a qualche malato! Perché, io che cosa sono? Prima che mi dimettano devo riuscire a mangiare una scodella di corn-flakes. Finora ho rifiutato la prova, il dolore è insopportabile.

Lunedì 2 novembre

L'infermiera Boldry mi ha cacciato a viva forza una cucchiaiata di corn-flakes giù per la gola martoriata e poi, prima ancora che li potessi digerire, ha cominciato a disfarmi il letto. Si è offerta di pagarmi il taxi ma le ho fatto cenno che avrei aspettato papà con la macchina.

Martedì 3 novembre
Elezioni negli Usa

Sono nel mio letto. Pandora è una donna eccezionalmente forte: lei e io comunichiamo senza parole. La mia voce è rimasta danneggiata dall'operazione.

Mercoledì 4 novembre

Oggi ho detto le prime parole da una settimana. Ho gracchiato: «Papà, telefona alla mamma e dille che ho superato il peggio». Papà è stato sopraffatto dal sollievo e dall'emozione. La sua risata aveva echi isterici.

Giovedì 5 novembre
Primo quarto

Il dottor Gray dice che la mia voce roca è tipica dei giovani nell'adolescenza. È sempre incazzato, quel tipo. Voleva che mi alzassi e andassi io da lui in ambulatorio! Ma se pullula di germi! Secondo lui dovrei essere fuori con gli altri ragazzi della mia età a fare un falò augurale d'autunno. Gli ho detto che sono troppo vecchio per quei riti pagani. M'ha risposto: «Ho quarantasette anni ma fare un bel falò mi piace ancora».

Quarantasette anni! Questo spiega tutto. È un secolo che dovevano mandarlo in pensione.

Venerdì 6 novembre

Domani papà mi porta a una festa intorno al falò (se mi sento, naturalmente). È stata indetta per raccogliere fondi per le spese degli psicologi del consultorio matrimoniale.

La mamma di Pandora ha l'incarico di cucinare, suo padre di pensare ai fuochi artificiali. Papà dovrà accendere il falò. Me ne starò a un centinaio di metri di distanza. Non so quante volte l'ho già visto bruciarsi le ciglia.

Ieri sera dei vicini irresponsabili hanno fatto la festa del falò nel giardinetto dietro casa!

Dopo che siamo stati avvertiti di tutti i pericoli da radio, televisione e giornali! Non ci sono stati incidenti, ma è solo un caso.

Sabato 7 novembre

Il falò del consultorio è stato enorme. Un encomiabile sforzo collettivo. Il signor Cherry ha regalato centinaia di copie di una rivista patinata d'attualità intitolata *Now!* che da più di un anno, dice, si accumula invenduta nel retrobottega.

Pandora ha bruciato la sua raccolta di fotoromanzi *Jackie*. Dice che «non reggono a un'analisi femminista» e che «è meglio che non finiscano in mano a qualche ragazzina».

La signora Singh e i piccoli Singh hanno portato dei petardi indiani. Fanno molto più rumore di quelli inglesi. Meno male che il cane era chiuso nella carbonaia con il cotone nelle orecchie.

Nessuno si è gravemente ustionato, ma secondo

me è stato un errore tirare i petardi nel fuoco nel momento in cui veniva servito il cibo.

Io ho bruciato la bolletta rossa del telefono che è arrivata stamattina.

Domenica 8 novembre
Ventunesima dopo la SS. Trinità

La nostra via è piena di fumo acre. Sono andato a vedere il falò: le riviste *Now!* sono sempre tra i carboni ardenti, non vogliono bruciare (invece la bolletta rossa del telefono è bruciata, se Dio vuole).

Il signor Cherry dovrà scavare una grande fossa, riempirla con le riviste e versarci sopra della malta, sennò asfissiano tutto il quartiere.

Sono andato a trovare Bert. Era fuori con Queenie.

Lunedì 9 novembre

Di nuovo a scuola. Il cane è dal veterinario, che deve togliergli chirurgicamente il cotone dalle orecchie.

Martedì 10 novembre

Mi si sta gonfiando il petto! Sto diventando una ragazza!!!

Mercoledì 11 novembre
Giornata del Reduce negli Usa.
Giorno delle Rimembranze in Canada. Luna piena

Il dottor Gray non mi ha concesso la visita d'urgenza a domicilio! Dice che è un fenomeno comune nell'adolescenza. Di solito capita verso i dodici anni e mezzo. Dice che sono fisicamente ed emotivamente immaturo! Come posso essere immaturo? Ho ricevuto una lettera di rifiuto dalla BBC! Come faccio ad andare all'ambulatorio con il petto gonfio?

Giovedì 12 novembre

Ho detto al professor Jones che non posso fare educazione fisica con il petto gonfio. È stato molto brutale. Chissà che cosa insegnano alla Scuola superiore di educazione fisica.

Venerdì 13 novembre

Pandora e io abbiamo avuto una franca discussione sul futuro della nostra relazione. Non vuole sposarmi fra due anni!

Vuol lavorare, invece!

Naturalmente sono fuori di testa. È stato un brutto colpo. Le ho detto che, se fossimo sposati, la lascerei andare a lavorare part time, in qualche pasticceria, per esempio, ma lei ha risposto che vuol fare l'università e che in pasticceria ci entrerà soltanto a comprare le torte.

Sono volate parole dure (più sue che mie).

Sabato 14 novembre

Brandelli carbonizzati della rivista patinata *Now!* volano dappertutto. Sembra che quel giornale abbia un arcano potere di sopravvivenza. Il comune ha spedito una squadra speciale di spazzini per provvedere.

Adesso il cane non ha più il cotone nelle orecchie, fa solo finta di non sentire.

Sono andato a trovare Bert, ma era fuori con Queenie. Lei gli spinge romanticamente la carrozzella qua e là per il giardino.

Domenica 15 novembre
Ventiduesima dopo la SS. Trinità

Ho letto *Una città come Alice*, di Nevil Shute, è fantastico. Quanto vorrei avere un amico intellettuale per discutere con lui di letteratura! Papà crede che *Una città come Alice* sia di Lewis Carroll.

Lunedì 16 novembre

Sono tornato a casa da scuola con la testa che mi scoppiava. Tutto quel casino! Quelle urla! Quelle minacce! I professori dovrebbero imparare a comportarsi meglio.

Martedì 17 novembre

Papà mi preoccupa sul serio. Nemmeno le felici notizie sulla gravidanza della principessa Diana lo rallegrano.

La nonna ha già fatto tre paia di scarpine e le ha mandate a Buckingham Palace. È una vera patriota.

Mercoledì 18 novembre
Ultimo quarto

Gli alberi son tutti nudi.
I loro vestiti autunnali
sporcano i marciapiedi.
Alle foglie gli spazzini comunali
danno fuoco creando pire municipali.
Io, Adrian Mole,
mi strino le suole
pestando i falò.

L'ho ricopiata ben bene a macchina e l'ho mandata a John Tydeman, alla BBC.

Sembra tipo da apprezzare una poesia sulle foglie morte.

Devo essere radiotrasmesso o pubblicato presto, sennò Pandora perderà ogni stima per me.

Giovedì 19 novembre

Pandora mi ha suggerito di fare una rivista scolastica servendomi della fotocopiatrice della segreteria. Nell'intervallo del pranzo ho scritto il primo numero, il titolo è: *La voce dei giovani*.

Venerdì 20 novembre

Pandora ha letto il primo numero di *La voce dei giovani*. Mi ha suggerito, invece di scriverla tutta io, di sollecitare la collaborazione di altri scrittori di talento.

Lei farà un articolo sulla coltivazione dei fiori in vaso. Claire Nelson ci ha dato una poesia punk, è d'avanguardia, ma io non ho paura di battere nuove strade.

La società fa schifo
è uno schizzo di vomito rappreso.
Sulla nostra bandiera, l'Union Jack,
Sid Vicious vizioso infierì.

Johnny Rotten dal rottamaio la portò:
morti, morti, morti.
Uccisi dal grigiore.
L'Inghilterra puzza
è la fogna del mondo.
Pozzo nero d'Europa.
Salve o punk,
re e regine
della strada.

Siccome suo padre è consigliere comunale del partito conservatore la firma con uno pseudonimo.

Nigel ha scritto un breve articolo sulla manutenzione delle bici, da corsa. È molto palloso ma non posso mica dirglielo, perché è il mio migliore amico.

Mercoledì stampiamo.

Pandora scriverà a macchina le matrici durante il week-end.

Ecco il mio primo editoriale:

Ciao ragazzi,
    ecco la vostra rivista scolastica. Sì! Scritta e prodotta interamente mediante il lavoro minorile. Nel primo numero affronta campi vergini. Molti di voi saranno certo ignari dei miracoli della coltivazione dei fiori in vaso e delle gioie della manutenzione della bici da corsa. Se è

così, reggetevi forte, perché avrete una magica sorpresa!

Adrian Mole, editore

La mettiamo venticinque pence a copia.

Sabato 21 novembre

Il padre di Pandora ha rubato una risma di carta da fotocopie in ufficio. Mentre scrivo Pandora sta battendo le prime matrici di *La voce dei giovani*. Io sono a metà di un articolo su Barry Kent. È intitolato «Barry Kent: tutta la verità». Siccome dopo il deciso intervento della nonna non ha più osato sfiorarmi, mi sento al sicuro. Sono troppo occupato per andare a trovare Bert, domani.

Domenica 22 novembre
Ultima dopo la SS. Trinità

Ho finito il pezzo su Barry Kent. Scuoterà la scuola dalle fondamenta. Parlo anche delle sue perversioni sessuali. Dico tutto della sua disgustosa pratica di mostrare l'affare per cinque pence a sbirciata.

Lunedì 23 novembre

Ho ricevuto gli auguri di Natale dalla nonna, e una lettera dalla società dei telefoni. Ci taglieranno le comunicazioni! Mi sono dimenticato di andare a trovare Bert. Pandora e io siamo stati troppo impegnati con la rivista. Quanto vorrei andare a letto con Pandora invece che con *La voce dei giovani*.

2.00. Come farò per il telefono?

Martedì 24 novembre

Nigel è appena andato via incazzatissimo. Ha protestato per i miei tagli al suo articolo. Ho cercato di fargli capire che millecinquecento parole sull'arte della manutenzione della bici sono troppe, ma non mi ascoltava nemmeno. Ha ritirato l'articolo. Meno male! Due pagine in meno da rilegare.

Domani devo proprio andare a trovare Bert.

Mercoledì 25 novembre

Eccoci vittime di uno sciopero a gatto selvaggio! La segretaria della scuola, la signora Claricoates, non vuol saperne di *La voce dei giovani*. Dice che il suo contratto di lavoro non contempla la tiratura di riviste studentesche.

Ci siamo offerti di azionare noi la fotocopiatrice,

ma la signora Claricoates ha detto che solo lei sa far funzionare quella baracca. Sono disperato. Ben sei ore di lavoro sprecate!

Giovedì 26 novembre
Giorno del Ringraziamento negli Usa. Luna nuova

Il padre di Pandora fotocopierà *La voce dei giovani* in ufficio. Non voleva, ma Pandora si è chiusa in camera sua rifiutandosi di mangiare, finché lui non ha ceduto.

Venerdì 27 novembre

Cinquecento copie di *La voce dei giovani* sono state messe in vendita in sala mensa, oggi.

Alla fine del pomeriggio cinquecento copie di *La voce dei giovani* sono state riposte nell'armadio dello spogliatoio. Neanche una copia venduta! I miei compagni sono un branco di caproni!

Lunedì abbassiamo il prezzo a venti pence.

Ha telefonato la mamma, voleva parlare con papà. Le ho detto che era andato a pescare con il club dei licenziati della ditta di stufette.

È arrivato l'ultimo avviso dalla società dei telefoni. Se mio papà non si fa vivo entro le cinque e mezzo, zac!

Sabato 28 novembre

Un telegramma! Indirizzato a me! La BBC? No, la mamma:

ADRIAN STOP TORNACASA STOP

Come sarebbe a dire Adrian stop tornacasa? Ci sto già!

Hanno tagliato il telefono. Forse farei bene a scappare di casa sul serio.

Domenica 29 novembre
Avvento

La mamma è ritornata a casa, adesso, senza preavviso! Con tutta la sua roba! Si è gettata ai piedi di mio papà. Mio papà si è gettato su di lei. Con tatto mi sono ritirato in camera, dove ora sto meditando sui sentimenti indotti in me dal ritorno inopinato della mamma. Nel complesso sono contento da morire, anche se ho un po' paura che si guardi intorno e veda lo squallore che ci circonda. Quando si accorge che ho prestato a Pandora la sua pelliccia di volpe...

Lunedì 30 novembre
Sant'Andrea

Il papà e la mamma erano ancora a letto, quando sono uscito per andare a scuola.

Ho venduto una copia di *La voce dei giovani* a Barry Kent. Voleva sapere la verità su se stesso. Siccome legge pianissimo, finirà venerdì. Da domani abbassiamo il prezzo a quindici pence per cercare di stimolare la domanda. Ci sono ancora 499 copie da vendere!

Il papà e la mamma sono andati a letto alle nove!

Il cane è contentissimo che la mamma sia tornata. Non ha fatto che sorridere tutto il giorno.

Martedì 1° dicembre

Ho telefonato alla società dei telefoni fingendo di essere mio padre. Ho parlato con voce molto profonda, raccontando delle grandi palle. Ho detto che io, George Mole, sono stato ricoverato in ospedale psichiatrico per tre mesi, e ho bisogno del telefono per chiamare l'assistente sociale. Mi ha risposto una donna molto antipatica, dice che è stufa di sentire le zoppicanti scuse degli irresponsabili che non pagano la bolletta. Dice che il telefono sarà riattaccato solo se pagheremo 289 sterline e 19 pence di canone, più 40 di multa, più 40 di deposito.

Dunque, 369 sterline! Quando i miei si alzano finalmente dal letto e si accorgono che il telefono è muto, sono cavoli miei.

Mercoledì 2 dicembre

Papà oggi ha cercato invano di telefonare per rispondere a un'inserzione.

La mamma, facendo i mestieri in camera mia, ha rivoltato il materasso e ha trovato la raccolta di *Playmen* e la bolletta del telefono.

Mi hanno sottoposto a un duro interrogatorio sullo sgabello della cucina. Urlavano da morire. Papà voleva prendermi a cinghiate fino a «poco prima che morte sopravvenga», ma la mamma l'ha fermato. Ha detto: «Facciamogli invece cavar fuori i soldi che ha sul libretto di risparmio della cooperativa edilizia. Sarà una punizione ben peggiore per questo piccolo avaraccio». Così hanno deciso di fare.

Non avrò mai una casa di proprietà.

Giovedì 3 dicembre

Ho ritirato duecento sterline dal libretto. Non lo nego, con le lacrime agli occhi. Ci vorranno quattordici anni per risparmiarle di nuovo.

Venerdì 4 dicembre
Primo quarto

Ho addosso una grave depressione. È tutta colpa del padre di Pandora. Doveva andare in vacanza in giro per l'Inghilterra.

Sabato 5 dicembre

Ho ricevuto una lettera della nonna. Si domanda come mai non le ho ancora mandato gli auguri di Natale.

Domenica 6 dicembre
Seconda d'Avvento

Continuano a trattarmi da criminale. Papà e mamma non mi parlano, e non mi danno il permesso di uscire. Questa volta potrei diventare davvero un delinquente giovanile.

Lunedì 7 dicembre

Ho rubato un portachiavi firmato nel negozio del signor Cherry. Andrà bene come regalo per Nigel.

Martedì 8 dicembre

Sono preoccupatissimo a proposito del portachiavi. Stamattina a scuola abbiamo fatto etica e morale.

Mercoledì 9 dicembre

Il portachiavi rubato non mi fa dormire. I giornali sono pieni di notizie di vecchie signore arrestate per taccheggio. Ho cercato di pagare più del dovuto al signor Cherry le barrette al cioccolato, ma mi ha richiamato e mi ha dato il resto.

Giovedì 10 dicembre

Ho sognato un secondino che mi chiudeva in cella. La grossa chiave di ferro era attaccata al portachiavi firmato.

Il fottuto telefono è stato riattaccato.

Venerdì 11 dicembre
Luna piena

Ho telefonato ai Samaritani e ho confessato il mio crimine: «Rimettilo dov'era, allora, ragazzo». Domani lo farò.

Sabato 12 dicembre

Il signor Cherry mi ha beccato mentre rimettevo a posto il portachiavi.

Mi ha detto che scriverà ai miei. È fatta, stavolta finisco al riformatorio.

Domenica 13 dicembre
Terza d'Avvento

Grazie al cielo la domenica la posta non arriva.

Papà e mamma hanno passato la giornata a decorare l'albero di Natale. Sono stato a guardarli con il cuore gonfio.

Sto leggendo *Delitto e castigo*. È il libro più vero che abbia mai letto.

Lunedì 14 dicembre

Mi sono alzato alle cinque per intercettare il postino. Ho portato il cane a fare un giretto sotto una pioggerella fina fina (voleva continuare a dormire ma sono stato irremovibile). Ha continuato a guaire tutto il tempo. Ho fatto il giro dell'isolato e poi l'ho lasciato tornare a dormire nella sua cuccia di cartone. Vorrei essere un cane anch'io: loro non hanno etica né morale.

Il postino è arrivato alle sette e mezzo mentre facevo la cacca. Che sfiga!

Papà ha preso le lettere e le ha messe dietro l'orologio. Sono riuscito a sbirciarle mentre lui tossiva sulla prima sigaretta della giornata. Ce n'era una con la calligrafia del signor Cherry!

Papà e mamma si sono sbaciucchiati un po', poi hanno aperto la posta lasciando i Rice Krispies ad ammollarsi nel latte. C'erano sette bigliettini d'auguri di Natale, che hanno messo sopra il caminetto. I miei occhi sbarrati puntavano la lettera del signor Cherry. La mamma l'ha aperta, l'ha letta e ha detto: «George, è arrivato il conto dei giornali».

Si sono mangiati i Rice Krispies ed è morta là. Ho sprecato tutta l'adrenalina a preoccuparmi per niente. Non me ne rimarrà più, se non ci sto attento.

Martedì 15 dicembre

La mamma mi ha raccontato perché ha lasciato il lascivo ed è tornata da papà. M'ha detto: «Bimbo mi trattava come un oggetto sessuale, Adrian, e voleva che gli preparassi la cena alla sera, e si tagliava le unghie dei piedi in salotto, e poi io voglio molto bene a tuo padre». Io, neanche menzionato.

Mercoledì 16 dicembre

Reciterò nella commedia di Natale a scuola. Teatro sperimentale: il titolo è *La mangiatoia e la stella*. Io faccio la parte di San Giuseppe. Pandora fa Maria. Gesù è l'allievo più piccolo della scuola. Si chiama Peter Brown e fa le punture per crescere.

Giovedì 17 dicembre

Un'altra lettera della BBC!

Caro Adrian Mole,
grazie di avermi mandato la tua ultima poesia. Dopo che è stata battuta a macchina, l'ho capita perfettamente. Tuttavia, Adrian, capire non basta. Il nostro ufficio Poesia è inondato da poemi autunnali. L'odore dei falò e il crepitare del-

le foglie morte si sentono fin dal corridoio. È un buon tentativo, ma riprovaci, vuoi?

Cari auguri.

John Tydeman

«Riprovaci!» È quasi una commissione. Gli ho scritto:

Caro signor Tydeman,

quanto prendo se trasmettete una mia poesia per radio? Quando vuole che gliela mandi? Su quale argomento la vuole? Potrò leggerla io? Mi rimborsate il biglietto del treno? A che ora va in onda? Io devo essere a letto per le dieci.

Suo affezionatissimo
A. Mole

PS. Cordialissimi auguri di Buon Natale.

Venerdì 18 dicembre
Ultimo quarto

Oggi le prove di *La mangiatoia e la stella* sono state un fiasco. Peter Brown quest'anno è cresciuto e non ci sta più nella culla, così il signor Animba, l'insegnante di falegnameria, ha dovuto farne un'altra.

Il preside Scruton si è seduto in fondo alla palestra a guardare le prove. Quando siamo arrivati al punto in cui salta fuori che i tre re magi non sono altro che porci capitalisti ha fatto una faccia che sembrava la parete nord dell'Everest.

Ha chiamato la signorina Elf nelle docce per «scambiare quattro paroline». Abbiamo sentito tutto quello che le ha gridato sul muso. Ha detto che lui vuole vedere una tradizionale pantomima di Natale, con la bambola che piange che fa la parte di Gesù Bambino e i re magi bardati in mantello e tovaglie da tè. Ha minacciato di annullare la rappresentazione se Maria, alias Pandora, continuava a mimare il travaglio del parto nella mangiatoia. Questo è tipico di Scruton. E un porco fascista sessualmente inibito e dalla mentalità provinciale e ristretta. Come ha fatto a diventare preside non si sa. Sono tre anni che ha sempre su lo stesso vestito verde pieno di peli: e noi dovremmo cambiare tutto, quando manca pochissimo alla rappresentazione!

La mamma ha ricevuto una cartolina d'auguri dal lascivo! C'era scritto: «Paulie, hai tu il biglietto della tintoria? Non vogliono ridarmi il mio miglior vestito bianco». La mamma è rimasta sconvolta. Papà ha telefonato a Sheffield intimando a Lucas di cessare ogni comunicazione, o di prepararsi a ricevere una lama di acciaio inossidabile di Sheffield fra le scapole. Papà al telefono aveva veramente l'aria del duro. Aveva la sigaretta in bocca: la mamma era appoggiata al frigo, con la sigaretta fra le dita. Sembravano un po' il poster di Humphrey Bogart e Lauren Bacall che ho in camera. Vorrei essere davvero figlio di un gangster, allora sì che mi farei un'esperienza di vita.

Sabato 19 dicembre

Non ho soldi per i regali di Natale. Ma ho fatto lo stesso la lista, nel caso trovi dieci sterline per strada.

Pandora. Chanel n. 5 (1 sterlina e 50)
Mamma. Contaminuti per la cucina (75 pence)
Papà. Segnalibro (38 pence)
Nonna. Confezione bigodini (45 pence)
Cane. Cioccolatini per cani (45 pence)
Bert. Stecca di Woodbine (95 pence)
Zia Susan. Crema Nivea (60 pence)
Sabre. Vincibau (confezione piccola da 39 pence)
Nigel. Cioccolatini (34 pence)
Signorina Elf. Presina (fatta in casa)

Domenica 20 dicembre
Quarta d'Avvento

Pandora e io abbiamo provato la parte di Giuseppe e Maria in camera mia. Abbiamo improvvisato la scena madre, quando Maria torna dal consultorio famigliare e dice a Giuseppe che è rimasta incinta. Io ho fatto Giuseppe un po' come Marlon Brando in *Un tram che si chiama desiderio*. Pandora ha fatto Maria alla Blanche Dubois. Fantastico, finché papà non si è lamentato per le urla. Il cane doveva fare il bue e l'asinello ma non voleva stare fermo.

Dopo il tè la mamma ha detto che domani, al concerto scolastico, metterà la pelliccia di volpe. Panico! Sono corso immediatamente a casa di Pandora a riprenderla, ma la madre di Pandora se l'era messa su per andare al ballo del consultorio famigliare. Pandora mi ha detto che non aveva capito che la pelliccia fosse in prestito, credeva fosse un regalo d'innamorato! Crede davvero che un ragazzo di quattordici anni possa permettersi di regalare una pelliccia di volpe?

La mamma di Pandora tornerà molto tardi, così domattina, prima di andare a scuola, dovrò passare a casa loro a prendere la pelliccia e infilarla di soppiatto nella custodia di plastica. Sarà difficile, ma ormai niente è più semplice e diretto nella mia vita. Continuo a sentirmi come il personaggio d'un romanzo russo.

Lunedì 21 dicembre

Mi sono svegliato sudato: la radiosveglia segnava le 8 e 55! Le pareti nere brillavano in modo molto particolare; un'occhiata fuori della finestra ha confermato i miei sospetti, la neve era caduta come un bianco tappeto su ogni cosa.

Ho fatto una volata a casa di Pandora con su gli stivali da pesca di papà, ma non c'era nessuno. Ho guardato dalla buca delle lettere e ho visto la pelliccia della mamma nelle fauci del gattone, che la trascinava in giro. Gli ho gridato insulti irripetibili, ma quello niente, mi guardava sarcastico e continuava a straziare la povera pelliccia. Non ho avuto altra scelta che sfondare la porta sul retro, recuperare la pelliccia e squagliarmela in fretta (per quanto possibile, indossando stivaloni di cinque numeri più grandi del proprio). Mi sono infilato la pelliccia per scaldarmi durante il pericoloso ritorno alla base nella tormenta. All'angolo di Ploughman's Avenue e Shepherd's Crook Drive a momenti smarrivo l'orientamento, ma ho proseguito a testa bassa nel vento gelido che soffiava dritto dal Polo, finché non ho scorto la sagoma familiare dei garage prefabbricati che sorgono all'angolo della mia via.

Mi sono rifugiato in cucina in preda a grave prostrazione e ipotermia; la mamma stava fumando una sigaretta facendo il ripieno dei tortini di sfoglia di Natale. Ha urlato: «Cosa diavolo fai con su la mia pelliccia di volpe?» Non era affatto gentile, o preoccupata, o qualsiasi altra cosa materna. È saltata in piedi e ha cominciato a scrollare la neve dalla pelliccia, poi si è messa ad asciugarla con il phon. Non mi ha nemmeno offerto qualcosa di caldo da bere. Ha detto: «Ho sentito alla radio che la scuola è chiusa per via della nevicata, quindi renditi utile e gratta via la ruggine dalle brandine, a Natale vengono i Sugden a stare da noi per qualche giorno». I Sugden! I parenti di Norfolk della mamma! Montanari gozzuti che non sanno neanche parlare! Bleah, bleah!

Ho telefonato a Pandora per spiegarle l'irruzione e il furto con scasso eccetera, ma era andata a sciare sul pendio dietro il forno della cooperativa. Il padre di Pandora mi ha chiesto di liberare la linea perché doveva telefonare d'urgenza alla polizia. Era appena tornato a casa e si era accorto che c'erano stati i ladri! Dice che hanno fatto un casino del diavolo (dev'essere stato il gatto, io ci sono stato attento), ma fortunatamente non hanno rubato altro che una vecchia pelliccia di volpe che Pandora aveva messo nella cesta del gatto.

Pandora. Questa è la goccia che fa traboccare il vaso! Trovati un altro San Giuseppe, io mi rifiuto di calcare la scena con una ragazza che antepone la comodità del gatto al terribile dilemma del suo uomo.

Martedì 22 dicembre

Stamattina la scuola era chiusa perché i professori non sono riusciti a raggiungerla per via della neve. Così imparano ad andare a vivere in campagna nei vecchi mulini a vento restaurati! La signo-

rina Elf, che invece vive in città con un indiano pel-
lerossa, è arrivata in tempo per organizzare regolarmente il concerto sinfonico della scuola questo
pomeriggio. Ho deciso di perdonare a Pandora la
storia della pelliccia, dopo che mi ha informato che
il gattone è una gatta che aspetta i gattini.

Il concerto scolastico non è stato un gran successo. Quelli della prima G hanno continuato a
suonare le campane anche quando dovevano fare
la pausa, finché papà si è messo a gridare: «Le campane! Le campane!» e mia mamma è scoppiata a
ridere fortissimo.

L'orchestra della scuola è stata un vero disastro.
La mamma a un certo punto ha detto: «Ma quand'è
che la smettono di accordare gli strumenti e cominciano a suonare?» Avevano appena terminato
un concerto per ottoni di Mozart. Quando poi è apparsa Alice Bernard della terza C (settanta chili) e
si è messa a danzare la morte del cigno in tutù, ho
temuto che mia mamma esplodesse. La mamma di
Alice Bernard ha applaudito entusiasta, ma senza
un grande seguito.

A questo punto si è alzata la «classe degli asini»
intonando un coro di vecchie carole. Barry Kent
cantava tutte le versioni oscene (lo so perché gli
leggevo le labbra). Poi si sono seduti e Cervellone
Henderson della quinta K si è esibito in un assolo
su quattro strumenti: tromba, celeste, piano e chi-

tarra. Lo spandimerda era in brodo di giuggiole nel chinarsi a ricevere gli applausi.

Poi c'è stato l'intervallo durante il quale mi sono vestito in jeans e maglietta bianca, il mio costume da San Giuseppe. Dietro le quinte la tensione era palpabile. Da uno spiraglio del sipario ho visto i genitori tornare ai loro posti. Poi dalle casse dello stereo è partita la musica di *Incontri ravvicinati del terzo tipo*: si è aperto il sipario sulla scena di una mangiatoia astratta e ho avuto appena il tempo di sussurrare a Pandora: «Merda!» (un termine teatrale) prima che la signorina Elf ci scaraventasse in scena.

La mia prova è stata brillante! Nel personaggio di San Giuseppe si può dire che ci sono entrato sottopelle. Pandora al confronto ha sfigurato, soprattutto perché si è dimenticata di guardare con grande tenerezza Gesù/Peter Brown.

I tre re magi punk hanno fatto troppo rumore con le catene, rovinando il mio discorso sulla situazione in Medio Oriente, mentre gli angeli che impersonavano la signora Thatcher sono stati zittiti così rumorosamente dal pubblico che non si è sentito nulla del loro coretto sulla disoccupazione.

Tuttavia, nel complesso il pubblico ha accolto la rappresentazione abbastanza bene. Il signor Scruton si è alzato e ha fatto un discorsetto ipocrita sul «coraggioso esperimento» e sull'«inesausto impegno della signorina Elf dietro le quinte», dopo di che abbiamo cantato in coro: «Buon Natale a tutti voi!»

Tornando a casa in macchina papà ha commentato: «È stata la più bella pantomima natalizia a cui abbia assistito. Chi ha avuto l'idea geniale di farne una farsa?» Non gli ho neanche risposto. Non era affatto una farsa!

Mercoledì 23 dicembre

9.00. Ancora due giorni per comprare i regali e sono sempre senza un soldo. Ho fatto la presina per la signorina Elf, ma per consegnargliela entro Natale dovrò passare dal ghetto rischiando di essere rapinato.

Dovrò andare in giro a cantare carole, quelle stupide canzoncine di Natale, non c'è altro modo di raccogliere qualche soldo.

22.00. Sono appena tornato dal giro delle carole. Nei sobborghi è stata una pena: la gente mi gridava: «Ripassa a Natale!» senza nemmeno aprire la porta. Il pubblico più appassionato sono stati gli ubriachi che entravano e uscivano barcollando dal pub *Toro Nero*. Alcuni piangevano scopertamente per la bellezza della mia interpretazione di *Stille Nacht.* E devo dire che effettivamente costituivo uno spettacolo toccante, in mezzo alla neve, con il volto giovane levato al cielo, ignorando le circostanti scene di ubriachezza molesta.

Ho raccolto tre sterline e tredici, più una monetina irlandese e un tollino della birra Guinness. Domani ci riprovo. Indosserò l'uniforme della scuola, ho idea che mi frutterà un bel po' di denaro in più.

Giovedì 24 dicembre

Ho portato le sigarette a Bert all'ospizio. Bert è offeso perché è un po' che non vado a trovarlo. Dice che non ha voglia di passare il Natale con un branco di vecchie pettegole. Il fatto è che lui e Queenie stanno dando scandalo. Sono fidanzati, anche se non ufficialmente: hanno scritto il nome sullo stesso portacenere. Ho invitato Bert e Queenie a casa nostra per il pranzo di Natale. La mamma non lo sa ancora, ma sono sicuro che non ci saranno problemi, il tacchino è grossissimo. Ho cantato qualche carola per le vecchiette. Ho raccolto due sterline e undici pence, così sono andato da Woolworth a prendere lo Chanel n. 5 per Pandora. Siccome non ce l'avevano, le ho comprato un deodorante ascellare.

La casa è a specchio come non mai, c'è un profumino magico di roba da mangiare e satsuma. Ho cercato un po' in giro ma non ho trovato i miei regali. Non sono nei soliti posti. Voglio una bici da corsa, o nient'altro. È tempo che io sia indipendente nei miei spostamenti.

23.00. Sono appena tornato dal *Toro Nero*. Pandora è venuta con me: abbiamo indossato l'uniforme della scuola ricordando agli ubriachi i loro bambini. Hanno cacciato dodici sterline e cinquantasette pence! Potenza della cattiva coscienza! Così a Santo Stefano andiamo a vedere una pantomima e ci sta anche un salto in pasticceria.

Venerdì 25 dicembre
Natale

Mi sono alzato alle cinque di mattina per fare un giro con la bici da corsa. Papà l'ha pagata con l'American Express. Non ho potuto andare lontano a causa della neve, ma non importa. Mi piace anche solo starla a guardare. Papà ha scritto sul cartellino attaccato al manubrio: «Non lasciarla fuori a prendere l'acqua», figurati!

I miei genitori soffrivano di severi postumi di sbronza, così gli ho portato la colazione a letto, approfittandone anche per consegnare i regali. La mamma è stata felice del contaminuti, e anche papà del segnalibro. Tutto stava andando benissimo fino a quando ho accennato all'invito fatto a Bert e Queenie, dicendo a papà che era ora che si alzasse per andare a prenderli all'ospizio.

La rissa è andata avanti fino all'arrivo degli orridi Sugden. Nonno e nonna Sugden, lo zio Dennis, sua moglie Marcia e loro figlio Maurice hanno la faccia lunga di chi è appena tornato da un funerale. Faccio fatica a credere che la mamma sia una loro parente. I Sugden hanno rifiutato un bicchierino e hanno accettato un tè mentre la mamma, in bagno, scongelava il tacchino. Io ho aiutato papà a trasportare Queenie (ottantacinque chili) e Bert (ottanta) fuori della macchina. Queenie è una di quelle vecchiette chiacchierone che si tingono i capelli e cercano di apparire giovani. Bert è innamorato di lei. Me l'ha detto mentre l'aiutavo ad andare al gabinetto.

Nonna Mole e zia Susan sono arrivate alle dodici e mezzo e hanno fatto finta di essere contente di trovare lì i Sugden. Zia Susan ha raccontato qualche divertente aneddoto sulla vita in carcere, ma solo io, papà, Bert e Queenie abbiamo riso.

Sono salito in bagno e ho trovato la mamma che piangeva, con il tacchino sotto il rubinetto dell'acqua calda. «'Sto cretino non si vuole scongelare», mormorava. «E adesso cosa faccio?» «Sbattilo in forno così com'è», le ho suggerito.

Ci siamo seduti a tavola con quattro ore di ritardo. Ormai papà era troppo ubriaco per mangiare. Della giornata i Sugden avranno gradito solo il discorso della regina alla tele. Nonna Sugden mi ha regalato un libro intitolato *Storie bibliche per ragazzi*. Non ho avuto il coraggio di dirle che ormai avevo perso la fede. L'ho ringraziata con un sorriso così falso che mi facevano male i muscoli della faccia.

Alle dieci i Sugden sono andati a dormire nelle brandine. Bert, Queenie, la mamma e papà si sono messi a giocare a carte, mentre io oliavo e lucidavo la bici. Ci siamo divertiti un sacco a far battute sui Sugden. Poi mio padre ha riaccompagnato Bert e Queenie all'ospizio e io ho telefonato a Pandora per dirle che l'amavo da morire.

Domani vado a prenderla. Le regalo il deodorante e poi andiamo alla pantomima.

Sabato **26** dicembre
Giornata festiva nel Regno Unito e nella repubblica d'Irlanda. Luna nuova

I Sugden si sono alzati alle sette e mezzo e si sono seduti in soggiorno, tutti composti come pinguini con il vestito della festa. Io sono uscito in bici. Quando sono tornato a casa la mamma era ancora a letto, e papà stava litigando con nonna Sugden a proposito del comportamento del cane. Sono uscito a fare un altro giro.

Sono andato a trovare nonna Mole, ho mangiato quattro tortini al ripieno di carne e sono tornato a casa. Sulla banchina ciclabile ho raggiunto le trenta miglia all'ora. Un vero sballo! Mi sono messo la giacca di renna nuova e i calzoni di velluto (dono della Barclaycard di papà) e sono andato da Pandora. Mi ha regalato una bottiglietta di dopobarba. È stato un momento di grande fierezza: significava la Fine dell'Infanzia.

Ci siamo divertiti alla pantomima, anche se era un po' troppo puerile per i nostri gusti. Bill Ash e Carole Hayman lavoravano bene nella parte di Aladino e la Principessa, ma i ladroni impersonati da Jeff Teare e Ian Giles erano forse anche meglio. Sue Pomeroy è stata fenomenale nella parte comica della vedova Twankey: in questo è stata però molto aiutata dalla sua vacca, interpretata da Chris Martin e Lou Wakefield.

Domenica 27 dicembre
Prima dopo Natale

I Sugden sono tornati a Norfolk con le loro facce da cavallo.

La casa è tornata il solito casino. I miei genitori ieri sera sono andati a letto con una bottiglia di vodka e due bicchieri. Da allora non li ho più visti.

Sono andato in bici fino a Melton Mowbray: cinque ore.

Lunedì 28 dicembre

Sono nei guai perché ieri sera ho lasciato fuori la bici. I miei non mi parlano. Ma non m'interessa, mi sono appena fatto la barba e mi sento un gallo.

Martedì 29 dicembre

Papà è intrattabile perché in casa è rimasta solo una bottiglia di sherry. È andato dal padre di Pandora a farsi prestare una bottiglia di liquore.

Il cane ha ribaltato l'albero di Natale. Gli aghi si sono conficcati nella moquette.

Ho finito tutti i libri che avevo preso in prestito per le feste e la biblioteca è ancora chiusa. Sono ridotto a leggere *Selezione,* dove usano solo le parole che capisce anche papà.

Mercoledì 30 dicembre

Tutti i palloncini della decorazione si sono sgonfiati. Adesso sembrano le mammelle delle vecchie che si vedono alla tele nei documentari sul Terzo Mondo.

Giovedì 31 dicembre

L'ultimo dell'anno. Ne sono successe, di cose! Mi sono innamorato. Ho fatto parte d'una famiglia d'un solo genitore. Sono diventato un intellettuale. E ho ricevuto due lettere dalla BBC. Non male, per uno di quattordici anni e tre quarti!

Papà e mamma sono andati al veglione del Grand Hotel. La mamma aveva un vestito da sera scostumato. Con lo spacco! Era più d'un anno che non tirava fuori le gambe dalle tute da imbianchino mostrandole in pubblico.

Pandora e io abbiamo aspettato insieme mezzanotte. È stata una serata hard, con l'accompagnamento musicale di Andy Stewart e di uno zampognaro scozzese.

Papà è rientrato all'una buttando giù la porta d'ingresso, con un pezzo di carbone in mano. Ubriaco, naturalmente.

La mamma ha cominciato a menarla su che figlio meraviglioso sono e quanto lei mi vuole bene. Peccato che non mi dica mai cose del genere quando è sobria.

Venerdì 1° gennaio
Primo dell'Anno

Ecco i miei propositi per l'anno nuovo:

1. Essere sincero con Pandora
2. Riportare la bici in casa la sera
3. Non leggere libri indegni
4. Studiare quel tanto per essere promosso a pieni voti
5. Cercare di trattare meglio il cane
6. Fare il possibile per perdonare Barry dei suoi molti peccati
7. Pulire la vasca dopo aver fatto il bagno
8. Smettere di preoccuparmi della lunghezza dell'affare
9. Fare ogni sera gli esercizi di stretching per aumentare di statura
10. Imparare sul vocabolario una parola nuova ogni giorno.

Sabato 2 gennaio
Giornata festiva in Scozia

Apprendo con vivo interesse che l'Aabec è una corteccia medicinale australiana utilizzata per far sudare.

Domenica 3 gennaio
Seconda dopo Natale. Primo quarto

Mi piacerebbe andare in Africa, a caccia di Aardvark.

Lunedì 4 gennaio

Già che ci sono, potrei scendere in Sudafrica a cercare un Aardwolf.

Martedì 5 gennaio

Ma dovrei guardarmi dall'Aasvogel.

Mercoledì 6 gennaio
Epifania

Continuo ad avere incubi sulla guerra atomica. Spero che non scoppi prima degli scrutini d'agosto. Non vorrei morire vergine e non diplomato.

Giovedì 7 gennaio

Nigel è venuto a vedere la mia bici da corsa nuova. Dice che è un prodotto fatto in serie, a differenza della sua, fabbricata a mano da un artigia-

no di Nottingham. Nigel mi ha scocciato, e un po'
anche la bici.

Venerdì 8 gennaio

Sono stato invitato a un matrimonio. Quello di
Bert e Queenie: si sposano il 16 gennaio presso
l'anagrafe di Pocklington Street.

Per me è una pura e semplice perdita di tempo.
Bert ha quasi novant'anni e Queenie quasi ottanta. Gli farò il regalo, ma lo compro all'ultimissimo
minuto.

Ha ricominciato a nevicare. Ho chiesto alla mamma di comprarmi un paio di stivaloni verdi come
quelli della regina, ma me ne ha portato un comunis-
simo paio nero. Mi servono soltanto per accompagnare Pandora al cancello, comunque. Infatti finché
non si scioglierà la neve, me ne starò fisso a casa. A
differenza della maggior parte dei ragazzi della mia
età, non mi diverto a giocare a palle di neve.

Sabato 9 gennaio
Luna piena

Secondo Nigel stanotte ci sarà la fine del mondo.
Dice che la luna avrà un collasso totale. Se leggesse anche solo *Selezione* saprebbe che si dice eclisse.
Comunque è vero, c'è stata l'eclisse, e per un attimo
ho tenuto il fiato temendo il peggio: ma la luna se

l'è cavata ancora e la vita è continuata come sempre, tranne che a York, dove casualmente il centro è stato inondato.

Domenica 10 gennaio
Prima dopo l'Epifania

Non capisco perché papà debba sembrare così vecchio a quarantun anni in confronto al presidente Reagan, che ne ha settanta. Mio padre non ha lavoro né preoccupazioni, eppure ha un'aria giù da matti. Il povero presidente Reagan, che ha sulle spalle la salvezza del mondo intero, invece ride sempre e pare allegrissimo.

Lunedì 11 gennaio

Ho riguardato il mio diario dell'anno scorso, e mi sono accorto che Malcolm Muggeridge non ha mai risposto alla mia lettera a proposito di quello che si deve fare quando si è degli intellettuali. Un francobollo sprecato! Avrei dovuto scrivere al British Museum, è lì che si raccolgono tutti i cervelloni.

Martedì 12 gennaio

Stasera sono andato con Pandora al circolo giovanile. Ci siamo divertiti. Rick Lemon ha organizzato un dibattito sul sesso. Nessuno ha detto niente, ma Rick ha proiettato delle interessanti diapositive di spaccati uterini.

Mercoledì 13 gennaio

I genitori laburisti di Pandora sono in grave polemica. Dormono in camere separate. La madre di Pandora è diventata socialdemocratica mentre suo padre aderisce all'ala marxista.

Siccome Pandora è liberale, continua ad andare d'accordo con tutti e due.

Giovedì 14 gennaio

Il padre di Pandora si è tolto la maschera e ha ammesso di simpatizzare addirittura per Tony Benn e la sinistra laburista. Pandora non lo tradirà, ma se vengono a saperlo alla Latteria Cooperativa è un uomo finito.

Venerdì 15 gennaio

Meno male che la neve si sta squagliando! Potrò andare in giro più tranquillo che nessuno mi infili una palla di neve gelata nel coppino.

Sabato 16 gennaio
Ultimo quarto

Oggi si è sposato Bert.

L'ospizio ha noleggiato un pullman e ha portato tutte le vecchiette con le stampelle a far da damigelle d'onore.

Bert aveva l'aria felice. Ha incassato l'assicurazione sulla vita e con i soldi si è comprato un vestito nuovo. Queenie indossava un buffo cappellino con fiori e frutta. Aveva in faccia un sacco di cipria arancione per cercare di nascondere le rughe. Persino Sabre aveva un collare nuovo rosso fiamma. È stato gentile da parte della Protezione Animali lasciarlo uscire il giorno del matrimonio del suo padrone. Mio padre e quello di Pandora hanno trasportato la carrozzella di Bert su per i gradini del municipio: in salita era scapolo, in discesa ammogliato. Le vecchiette hanno gettato riso e coriandoli sugli sposi: la mamma di Pandora ha stampato a Queenie un bacione e le ha dato un ferro di cavallo.

C'era un reporter che ha fatto posare tutti per la foto sul giornale locale. Mi ha chiesto il nome, ma gli ho detto che non desidero pubblicità.

Il ricevimento si è svolto all'ospizio. La direttrice ha fatto una torta con su la «B» e la «Q» fatte di caramelle.

Lunedì Bert e Queenie si trasferiranno in un bungalow, dopo la luna di miele all'ospizio.

Luna di miele!

Domenica 17 *gennaio*
Seconda dopo l'Epifania

Stanotte ho sognato un ragazzo come me che raccoglieva ciottoli sotto la pioggia. Era un sogno stranissimo.

Sto leggendo *Il principe nero*, di Iris Murdoch. Capisco una parola su dieci. Adesso ambisco a farmene piacere uno sul serio, dei libri di Iris Murdoch: allora avrò la certezza di essere al di sopra del gregge.

Lunedì 18 *gennaio*

Scuola. Primo giorno dopo le vacanze. Un sacco di compiti a casa. Non ce la farò mai a essere promosso. È troppo difficile. Sono un intellettuale, ma allo stesso tempo non sono molto intelligente.

Martedì 19 *gennaio*

Ho portato a casa 483 copie di *La voce dei giovani* nel sacco da ginnastica. Il professore aveva bisogno dell'armadio dello spogliatoio.

Mercoledì 20 gennaio

Due ore e mezzo di compiti a casa! Mi spezzerò la schiena sotto questo giogo.

Giovedì 21 gennaio

Mi fa male il cervello. Ho appena dovuto tradurre in inglese due pagine di Shakespeare.

Venerdì 22 gennaio

Sono destinato a diventare un lavoratore manuale. Non posso resistere a una pressione simile. La signorina Elf dice che il mio profitto è buono, ma non basta quando Pandora non fa che beccare «Ottimo!» in inchiostro rosso sotto qualunque sbrodolata faccia.

Sabato 23 gennaio

Rimasto a letto fino alle cinque del pomeriggio per non rischiare di incontrare i Sainsbury. Ascoltata a Radio Quattro una commedia sull'infelicità della vita domestica. Telefonato a Pandora. Fatti i compiti di geografia. Torturato il cane. Andato a dormire. Svegliato di soprassalto. Preoccupato per dieci minuti. Alzato.

Sono un nevrotico.

Domenica 24 gennaio
Terza dopo l'Epifania

Mia madre dice che la colpa dei miei nervi è di Iris Murdoch. Dice che non bisogna leggere di adolescenze infelici quando si prepara l'esame di licenza.

Lunedì 25 gennaio
Luna nuova

Non sono riuscito a fare il compito di matematica. Ho chiamato il telefono amico. C'era un tipo gentile che mi ha detto che la soluzione era nove ottavi. Mi ha salvato la vita.

Martedì 26 gennaio

Quell'idiota del telefono amico mi ha dato la soluzione sbagliata. Ho preso una brutta insufficienza. Pandora l'ha fatto giusto e ha preso il massimo.

Mercoledì 27 gennaio

Riunione femminista del gruppo della mamma in salotto. Non riesco a concentrarmi sui compiti con tutte queste donne che sghignazzano, gridano e scorrazzano su per la scala. Non sono delle vere signore.

Giovedì 28 gennaio

Ho preso un buon voto in storia. Pandora ha preso di più perché sapeva come si chiamava il padre di Hitler.

Venerdì 29 gennaio

Sono tornato a casa in anticipo da scuola perché avevo un terribile mal di testa (così ho perso il compito in classe di religione comparata). Ho trovato papà che guardava i Muppet alla tele e faceva finta di essere una ghianda che cresce sulla quercia.

Sono andato a letto sotto choc.

Sabato 30 gennaio

Mal di testa. Sto troppo male per scrivere.

Domenica 31 gennaio
Quarta dopo l'Epifania

È venuta a trovarmi Pandora. Ho copiato il suo compito. Mi sento meglio.

Lunedì 1° febbraio
Primo quarto

La mamma ha dato un ultimatum a mio padre: o trova un lavoro, o comincia a fare i mestieri in casa, o se ne va.

Sta cercando un lavoro.

Martedì 2 febbraio
Candelora

Nonna Mole è venuta a trovarmi per dirmi che settimana scorsa la Chiesa Spiritualista a cui aderisce aveva annunciato la fine del mondo. Doveva finire tutto ieri.

Aveva intenzione di avvertirmi prima, ma doveva lavare le tende.

Mercoledì 3 febbraio

A papà hanno ritirato le carte di credito! La Barclay, la Nat West e l'American Express si sono stufate delle sue spese pazze. Siamo agli sgoccioli. Gli sono rimaste poche sterline della liquidazione nel cassetto delle calze, lo so.

La mamma sta cercando lavoro.

Ho un certo senso di *déjà vu*.

Giovedì 4 febbraio

Sono andato a trovare Bert e Queenie. Il loro bungalow affoga tra i soprammobili, chincaglieria e cianfrusaglie varie. Ogni volta che scodinzola, Sabre spiana una decina di deliziosi oggettini. Mi sembrano abbastanza contenti, anche se la loro vita sessuale non dev'essere un carosello.

Venerdì 5 febbraio

Devo scrivere un tema sulle cause della seconda guerra mondiale. Che inutile spreco di tempo! Le sanno tutti. Non puoi girarti da nessuna parte senza vedere le foto di Hitler.

Sabato 6 febbraio

Ho finito il tema, l'ho copiato dall'enciclopedia. La mamma è andata a un seminario femminile sull'autodifesa. Così se papà protesta perché ha fatto bruciare il pane tostato, può rompergli il collo con un colpo di karatè.

Domenica 7 febbraio
Septuagesima

Che palle, oggi. I miei la domenica non fanno altro che leggere il giornale. Le altre famiglie vanno al parco safari, al minigolf eccetera. Noi mai.

Quando avrò dei figli nei week-end li bombarderò di stimoli.

Lunedì 8 febbraio
Luna piena

La mamma ha trovato lavoro. Raccoglie le monete dei videogiochi Space Invaders. Ha cominciato oggi, dopo una telefonata urgente dell'agenzia di collocamento.

Dice che le macchine più piene sono quelle dei bar equivoci e quelle delle sale comuni dell'università.

Credo che la mamma stia venendo meno ai suoi principi. Sta incoraggiando quella che è diventata una vera ossessione per le menti più deboli.

Martedì 9 febbraio

La mamma si è licenziata. Dice che la importunano sessualmente durante il lavoro, e che è allergica alle monete da dieci pence.

Mercoledì 10 febbraio

Papà ha deciso di mettersi in proprio. Costruirà scaffali e scomparti per le spezie. Ha speso quello che gli restava della liquidazione in colla e legno d'abete. La camera degli ospiti è diventata un laboratorio. C'è segatura dappertutto.

Sono molto fiero di lui. Adesso è un industriale, e io sono il figlio di un industriale!

Giovedì 11 febbraio

Dopo la scuola abbiamo consegnato alla signora Singh il suo enorme scaffale a scomparti per le spezie. Ho dovuto aiutare papà a trasportarlo e a installarlo sulla parete della cucina. Abbiamo bevuto una tazza di schifoso tè indiano, la signora Singh ha pagato papà e poi si è messa a riempire tutti gli scomparti di spezie esotiche indiane. Avevano un'aria molto più invitante del solito timo e prezzemolo di mia mamma.

Per festeggiare la prima vendita, papà ha comprato una bottiglia di champagne! Non ha un'idea sparata di cosa sia un investimento produttivo.

Venerdì 12 febbraio

Pandora è andata a Londra con suo padre a sentire un comizio di Tony Benn. La mamma di Pandora, invece, è andata a un congresso socialdemocratico a Loughborough. È sempre un brutto giorno quando le famiglie si spaccano per la politica.

Non ho ancora deciso per chi votare. Qualche

volta penso che la signora Thatcher è una donna distinta e gentile; il giorno dopo la vedo alla tele e mi atterrisce. Ha gli occhi da assassino psicopatico e la voce da persona mite: ti mette in confusione.

Sabato 13 febbraio

Pandora si è presa una cotta per Tony Benn. Dice che gli uomini anziani la eccitano.

Sto cercando di farmi crescere i baffi. Domani è San Valentino. Oggi è arrivato un grosso bigliettino d'auguri da Sheffield.

Domenica 14 febbraio
Sexagesima. San Valentino

Finalmente ricevo gli auguri di San Valentino da un non parente! Il bigliettino di Pandora è bellissimo: ha scritto un semplice messaggio d'amore: «Adrian, ci sei solo tu».

Io, le ho preparato un bigliettino di stile pseudo-vittoriano, con scritto:

O mio giovane amore, i tuoi capelli
color melassa e i calzettoni al ginocchio
m'offrono un conturbante colpo d'occhio.
La tua flessuosa figura dai miei sogni prediletti
ha scacciato i personaggi dei fumetti.

Ho fatto di meglio, lo so, ma avevo fretta.

Papà ha buttato nel cestino della carta straccia gli auguri di San Valentino da Sheffield. La mamma ha recuperato il bigliettino mentre lui era al bar. C'era scritto: «Pauline, sono in pena».

La mamma l'ha stracciato con un sorriso.

Lunedì 15 febbraio
Commemorazione di Giorgio Washington negli Usa.
Ultimo quarto

Tornato a casa da scuola ho sorpreso la mamma al telefono con il lascivo Lucas, faceva la voce dolce e gli diceva: «Non puoi chiedermi questo, Bimbo», e: «È tutto finito ormai fra noi, tesoro. Dobbiamo cercare di dimenticare».

Non potrei sopportare altri stress emotivi! Ci sono già dentro fino alle orecchie, per via dello studio e della competizione con Tony Benn per conquistare le attenzioni di Pandora.

Martedì 16 febbraio

La madre di Pandora ieri sera è venuta a lamentarsi del suo scaffale per le spezie. È precipitato dalla parete e il rosmarino è volato dappertutto. La mamma si è scusata a nome di papà, che si era nascosto nello sgabuzzino.

Sto pensando seriamente di abbandonare tutto

e di scappare per cercare lavoro in un circo. La vita sarebbe tutta un'altra cosa, a condizione di poter fare un bagno ogni tanto.

Mercoledì 17 febbraio

La signorina Elf oggi ci ha parlato del suo fidanzato. Si chiama Winston Johnson. È laureato in lettere e non trova lavoro! Che possibilità avrò io, dunque?

La signorina Elf dice che i neolaureati sono a spasso in tutto il Paese. Dice che Scruton dovrebbe vergognarsi di tenere il ritratto della signora Thatcher sulla scrivania.

Sto diventando di sinistra, credo.

Giovedì 18 febbraio

Stamattina è stata convocata un'assemblea plenaria a scuola. Scruton è salito sul palco e si è messo a gridare come nei film di Hitler. Ha detto che in lunghi anni di insegnamento non gli era mai capitato di assistere a un atto di vandalismo tanto grave. Tutti sono ammutoliti guardandosi perplessi. Scruton ha detto che qualcuno è entrato nel suo ufficio e ha fatto i baffi alla signora Thatcher scrivendo sul suo ritratto: «Tre milioni di disoccupati».

Ha detto che la profanazione del maggiore leader che abbia mai avuto il nostro Paese era un crimine contro l'umanità. Equivaleva ad alto tradimento, e i colpevoli sarebbero stati immediatamente espulsi. Gli occhi di Scruton strabuzzavano tanto che alcuni allievi di prima si sono messi a piangere. La signorina Elf li ha portati in salvo fuori dell'aula magna.

A scuola, tutti saranno sottoposti a esame calligrafico.

Venerdì 19 febbraio

La signorina Elf si è dimessa. Sentirò la sua mancanza, è stata lei la responsabile della mia crescita politica. Sono un uomo impegnato. Sono contro quasi tutto.

Sabato 20 febbraio

Pandora, Nigel, Claire Nelson e io abbiamo fondato un gruppo radicale. Siamo la «Brigata Rosa». Parliamo di argomenti come la guerra (contro) e la pace (pro); e della distruzione finale della società capitalistica.

Il papà di Claire Nelson è un capitalista: ha un negozio d'ortolano. Claire sta cercando di convincerlo a distribuire verdura a buon mercato ai disoccupati ma lui si rifiuta. Ingrassa sulla loro carestia!

Domenica 21 febbraio
Quinquagesima

Ho avuto una discussione con mio padre sul suo *Sunday Express*. Non vuole ammettere di essere un tirapiedi della reazione. Si rifiuta di cambiar giornale e abbonarsi al *Morning Star*. Mia mamma legge di tutto: si può dire che prostituisce il proprio alfabetismo.

Lunedì 22 febbraio

Sono tornati i maledetti brufoli. Sono anche estremamente frustrato sul piano sessuale. Sono sicuro che fare l'amore mi migliorerebbe la pelle.

Pandora dice che non correrà il rischio di diventare una ragazza madre per qualche stupido brufolo. Così sarò costretto a indulgere nuovamente all'autoindulgenza.

Martedì 23 febbraio
Martedì grasso

Ho divorato nove frittelle a casa mia, tre a casa di Pandora e quattro da Bert e Queenie. La nonna si è offesa quando ho rifiutato le sue.

È riprovevole, se si pensa che nel Terzo Mondo vivono di un pugno di riso.

Mi sento un imperialista bianco.

Mercoledì 24 febbraio
Delle Ceneri

Hanno licenziato le cuoche dalla mensa! Adesso i pasti arrivano caldi da una cucina centrale. Avrei voluto inscenare una manifestazione di protesta ma domani c'è il compito in classe di geografia.

Per ringraziarla di trent'anni di sgobbo in cucina hanno regalato alla signora Leech un forno a microonde.

Giovedì 25 febbraio

Ho preso un voto scarso in geografia, ma solo perché ho sostenuto che le isole Falkland appartengono all'Argentina.

Venerdì 26 febbraio

Il mio affare misura adesso tredici centimetri in stato di erezione. In stato di flaccidità non vale neanche la pena di parlarne. Il mio fisico, in generale, sta migliorando. Credo che gli esercizi di stretching stiano facendo effetto. Una volta ero il tipo di ragazzo a cui si tira la sabbia in faccia con una pedata, adesso sono il tipo di ragazzo che guarda tirare la sabbia in faccia a qualcun altro.

Sabato 27 febbraio

Questa settimana papà non ha venduto neanche un portaspezie. Campiamo con gli spiccioli del sussidio.

La mamma ha smesso di fumare. Il cane è razionato a mezza scatola di Robadacani al giorno.

Domenica 28 febbraio
Quadragesima (prima di Quaresima)

Oggi uova con patatine e piselli! Domenica, triste domenica. Niente budino! Tovaglioli di carta per risparmiare sul detersivo.

La mamma sostiene che siamo i nuovi poveri.

Lunedì 1° marzo
Festa di San Davide nel Galles

Papà ha smesso di fumare. Gira incazzato nero e mi rompe su ogni cosa.

Lui e la mamma hanno litigato per la prima volta da quando la mamma è tornata. Il cane ha azzannato i biscotti da tè. Non è mica colpa sua, vede ossi dappertutto dalla fame. Gli abbiamo aumentato la razione a una scatola di Robadacani al giorno.

Martedì 2 marzo
Primo quarto

I miei genitori sono preda di una grave crisi d'astinenza da nicotina. Si aggirano con occhi feroci. Un esperimento umano piuttosto interessante per un non fumatore come me.

Mercoledì 3 marzo

Ho prestato a papà i soldi per la benzina, doveva presentarsi a un colloquio per un possibile lavoro. La mamma gli ha tagliato i capelli, gli ha fatto la barba e gli ha spiegato che cosa dire e come comportarsi. È patetico vedere come la disoccupazione abbia trasformato mio padre in un cucciolone dipendente.

Ora sta aspettando una chiamata dall'Ufficio Reclutamento del Comune.

Continua a non fumare. È sempre lì lì per dare fuori di testa.

Giovedì 4 marzo

Ancora nessuna novità a proposito del lavoro. Passo più tempo che posso fuori: i miei sono una pena. Almeno ricominciassero a fumare.

Venerdì 5 marzo

Vittoria!

Papà comincia lunedì come caposquadra ai lavori di ricompattamento e pulizia delle sponde e dei canali. Dirigerà una squadra di rudi evasori dell'obbligo scolastico. Per festeggiare ha comprato sei pacchetti di sigarette: tre di Benson & Hedges per la mamma e tre di Players per sé. A me ha regalato una confezione famiglia di barrette al cioccolato.

Grande giubilo generale! Perfino il cane è su di morale. La nonna sta già facendo un berretto di lana per papà, da indossare sul lavoro.

Sabato 6 marzo

Pandora e io siamo andati a dare un'occhiata al tratto di canale di cui mio padre è responsabile. Anche lavorando mille anni non riuscirebbe mai a liberare quel cimitero di bici arrugginite, carrozzine, erbacce e lattine di coca cola. Ho confidato a papà che gli hanno affidato un incarico impossibile, ma lui, sicuro: «Al contrario, tempo un anno e sarà un'amena località turistica». Sì, e io sono Michael Jackson! Povero papà!

Domenica 7 marzo
Seconda di Quaresima

Stamattina papà è andato a vedere il tratto di canale. Tornato a casa si è chiuso in camera da letto. È sempre là, sento la mamma che gli sussurra parole incoraggianti.

Chissà se domani andrà al lavoro. Valutati i pro e i contro, credo di no.

Lunedì 8 marzo

È andato a lavorare.

Dopo la scuola sono tornato a casa per la strada del canale e l'ho visto, al comando di una squadra di punk e skinhead. Avevano l'aria pigra e scazzosa. Nessuno voleva sporcarsi i vestiti. Papà era l'unico che lavorava. Era tutto coperto di fango. Ho cercato di attaccare educatamente discorso con i ragazzi, ma mi hanno guardato di brutto. Ho spiegato loro che erano alienati da una società crudele e indifferente, ma papà è intervenuto: «Fila a casa, Adrian, tu e le tue cazzate sinistrorse». Se non ci sta attento, fra poco dovrà sedare un ammutinamento.

Martedì 9 marzo
Luna piena

Il mio profitto scolastico è precipitato a capofitto. Ho preso il minimo in ortografia. Temo di essere anoressico.

Mercoledì 10 marzo

Papà mi ha chiesto di non portare più con me Pandora al canale dopo la scuola. Dice che poi non riesce più a far fare niente ai ragazzi. È vero che è di una bellezza da sballo, ma i ragazzi dovranno imparare il self control. Io ho dovuto farlo. Rifiuta di consumare la nostra unione.

A volte mi domando che cosa ci veda, in me.

Vivo ogni giorno nel terrore che la nostra relazione non abbia un lieto fine.

Giovedì 11 marzo

Pandora e la madre di Pandora hanno aderito al gruppo femminista della mamma. Né uomini né ragazzi possono mettere piede in soggiorno. Stasera papà badava ai bambini in cucina.

La figlia di Rick Lemon, Herod, strisciava sotto il tavolo gridando: «Tetta! Tetta!» Papà continuava a dirle di star zitta finché non gli ho spiegato che Tetta è il nome della mamma di Herod. Herod è una piccola molto alternativa, che non mangia mai dolci e non va a letto prima delle due di notte.

Papà quando siamo soli dice che le donne dovrebbero stare a casa a cucinare. Lo dice piano perché ha paura che gli rompano il collo con un colpo di karatè.

Venerdì 12 marzo

È stata una giornata fruttuosa per papà, al canale. Sono quasi arrivati alle erbacce. Per festeggiare, ha portato a casa la squadra di punk e skinhead a bere un bicchiere di birra di sua produzione. La signora Singh e la mamma hanno fatto una faccia spaventata quando sono entrati in cucina! Ma subito papà ha presentato Baz, Daz, Maz, Kev, Melv e Boz alle signore, che si sono rilassate un po'.

Boz mi aiuterà ad aggiustare i freni della bici,

se ne intende parecchio. Le ruba da quando aveva sei anni.

Sabato 13 marzo

Boz mi ha offerto una sniffata della sua colla oggi, ma ho graziosamente rifiutato.

Domenica 14 marzo
Terza di Quaresima

Tutte le femmine che conosco sono andate a una manifestazione per i diritti delle donne. Anche la signora Singh, travestita.

Ho visto Rick Lemon al parco, stava spingendo Herod sull'altalena. La lanciava troppo in alto. Herod gridava terrorizzata: «Tetta! Tetta!»

Lunedì 15 marzo

Sono amato da due donne! Elizabeth Sally Broadway ha dato un bigliettino a Victoria Louise Thomson durante l'ora di scienze. C'era scritto: «Domanda ad Adrian Mole se vuole uscire con me».

Victoria Louise Thomson (VLT d'ora in poi) mi ha trasmesso il messaggio. Ho risposto negativamente a VLT. Elizabeth Sally Broadway (d'ora in poi ESB) ha fatto la faccia triste, molto triste, e si è messa a piangere sul becco Bunsen.

È magnifico sapere che Pandora ed Elizabeth sono innamorate di me.

Forse non sono così brutto come intellettuale.

Martedì 16 marzo

Pandora ed ESB si sono picchiate in cortile. Sono stravolto dal comportamento di Pandora. All'ultima riunione della Brigata Rosa ha giurato di restare pacifista per tutta la vita.

Ha vinto Pandora.

Mercoledì 17 marzo
Festa di San Patrizio in Irlanda. Ultimo quarto

Il signor O'Leary è stato riportato a casa dalla polizia alle dieci e mezzo di sera. La signora O'Leary è venuta a chiedere aiuto a mio padre per fargli salire le scale e metterlo a letto. Papà è ancora là. Si sente cantare e suonare anche con i doppi vetri chiusi.

Non è uno scherzo se bisogna dormire perché domani c'è scuola.

Giovedì 18 marzo

Sto leggendo *Perché i ragazzi falliscono*, di John Holt. È un ottimo libro. Se mi bocciano, è tutta colpa dei miei genitori.

Venerdì 19 marzo

Ecco il mio tema:

La primavera, di A. Mole

Gli alberi esplodono di gemme, anzi, qualcuno ha già messo le foglie. I rami puntano al cielo come spaventapasseri ubriachi. I tronchi si avvitano nel terreno formando una pletora di radici. Il cielo luminoso si libra incerto come una sposa timida sulla soglia della camera nuziale. Gli uccelli svolazzano tracciando itinerari erratici sulle nuvole bianche come spaventapasseri ubriachi. Il rio traslucido gorgoglia maestoso verso il termine del suo viaggio: «Al mare!» grida. «Al mare!» ripete incessantemente il rio.

Un ragazzo solitario, con i lombi in fiamme, siede guardando il suo calmo riflesso nel vorticoso rio. Il suo cuore è molto triste. Il suo sguardo si posa sul terreno ove scorge una stupenda, maestosa farfalla multicolore. L'insetto alato spicca il volo portando con sé gli occhi del ragazzo finché non sono che una macchiolina sul fiammeggiante tramonto.

Egli sente allora aleggiare nello zefiro una speranza per il genere umano.

Pandora dice che è il miglior pezzo che ho scritto, ma io so che ho ancora molta strada da fare prima di imparare il mestiere.

Sabato 20 marzo
Equinozio di Primavera

La mamma è andata dal parrucchiere a farsi tagliare i capelli. Adesso sembra una detenuta della zia Susan. Non ha assolutamente più neanche l'aria minimamente materna e non so nemmeno se farle il regalo per la festa della Mamma; ieri sera ha fatto una conferenza di due ore sul fatto che è tutto un trucco dei commercianti per spennare i polli.

Domenica 21 marzo
Quarta di Quaresima. Festa della Mamma

11.30. Siccome non le ho comprato niente, la mamma è stata di umore perfido per tutta la mattina.

13.00. Papà ha detto: «Se fossi in te, ragazzo, farei un salto da Cherry e comprerei un bigliettino d'auguri e un regalo per tua mamma». Mi ha dato due sterline e ho comprato un cartoncino con scritto: «Mamy ti amo tanto» (di pessimo gusto, ma era l'ultimo rimasto) e cinque scatole di caramelle miste alla liquirizia (a prezzo scontato perché ammaccate). Si è consolata e non ha detto niente quando papà è andato a portare alla nonna un mazzo di tulipani ed è tornato cinque ore dopo puzzando di birra.

La mamma di Pandora, invece, è stata portata a cena al ristorante da suo marito. Farò lo stesso per mia madre, quando sarò famoso.

Lunedì 22 marzo

Ho contato i libri della mia biblioteca personale. Sono centocinquantuno, senza contare quelli dell'infanzia.

Martedì 23 marzo

Tra undici giorni avrò quindici anni. Mancano dunque solo un anno e undici giorni all'epoca in cui, se ne avrò voglia, mi potrò sposare.

Mercoledì 24 marzo

L'unica cosa che ormai veramente mi preoccupa, a proposito del mio aspetto, sono le orecchie.

Sporgono in fuori con un angolo di novanta gradi. Siccome l'ho misurato con il goniometro, è un fatto scientifico.

Giovedì 25 marzo
Luna nuova

Ho avuto un risveglio spirituale. Due tipi simpatici del gruppo religioso Sunshine People hanno suonato alla porta. Hanno spiegato che solo loro possono portare la pace nel mondo. L'iscrizione costa venti sterline. In qualche modo me le procurerò. Non c'è nulla di troppo caro quando è in gioco la pace.

Venerdì 26 marzo

Ho cercato di convincere Pandora a iscriversi ai Sunshine People. I miei argomenti non l'hanno commossa. Domani i due apostoli vengono a parlare con i miei per fargli firmare l'adesione.

Sabato 27 marzo

I Sunshine People sono arrivati alle sei. Pioveva fittissimo. Papà non li ha fatti nemmeno entrare. Si sono bagnati tutti. Papà li ha ammoniti di smetterla di lavare il cervello a un sempliciotto. Quando se ne sono andati, la mamma è rimasta a guardarli. «Non hanno l'aria molto carismatica adesso, più che altro sembrano fradici», ha commentato. Ho versato qualche lacrima. Di sollievo, credo. Venti sterline sono pur sempre una bella cifra.

Domenica 28 marzo
Comincia l'ora legale nel Regno Unito

Ieri papà si è dimenticato di regolare l'orologio, così sono arrivato in ritardo alla riunione della Brigata Rosa a casa di Pandora. Abbiamo votato l'esclusione del padre di Pandora dalla riunione per le sue idee di estrema sinistra. Abbiamo deciso di appoggiare Roy Hattersley nella lotta per il potere che si scatenerà tra breve nel partito laburista.

Pandora si è disamorata di Tony Benn da quando ha scoperto che è un aristocratico decadente.

Claire Neilson ha portato un nuovo membro, si chiama Barbara Boyer. È molto carina e anche intelligente. Ha polemizzato con Pandora sulla politica nucleare della Nato. Pandora ha dovuto ammettere che la Cina costituisce un fattore imprevedibile. Pandora ha chiesto a Claire Neilson di non portare più Barbara.

Lunedì 29 marzo

Alla mensa ho mangiato seduto vicino a Barbara Boyer.

È veramente una pupa fantastica. Mi ha fatto notare che Pandora ha un sacco di difetti. Mi sono sentito costretto a darle ragione.

Martedì 30 marzo

Sto commettendo un adulterio non sessuale con Barbara. Sono al centro dell'eterno triangolo. Nigel è l'unico a saperlo: mi ha giurato omertà.

Mercoledì 31 marzo

Nigel l'ha spifferato a tutta la scuola. Pandora ha passato tutto il pomeriggio chiusa nella stanzetta della bidella.

Giovedì 1° aprile
Occhio ai pesci d'aprile. Primo quarto

Barbara Boyer ha troncato il nostro breve flirt. Le ho telefonato al negozio di animali dove lavora part time a pulire le gabbiette. Mi ha detto che non poteva sopportare il dolore che si leggeva negli occhi di Pandora. Le ho chiesto se era un pesce d'aprile, mi ha detto di no e mi ha fatto notare che era già passato mezzogiorno.

Ho imparato una lezione: a causa della lussuria si perde l'amore.

Domani ho quindici anni.

Mi sono fatto la barba per tirarmi un po' su.

Venerdì 2 aprile

Ho quindici anni, ma legalmente sono ancora un bambino. Oggi non posso fare niente di più di quello che potevo fare anche ieri. Che palle!

Ho ricevuto quattro biglietti d'auguri dai parenti e tre dagli amici. I regali sono le solite porcherie giapponesi, meno quello di Bert, che è un aeromodello prodotto in Germania.

Pandora ha ignorato il mio compleanno. Non la biasimo. Ho tradito la sua fiducia.

Boz, Baz, Daz, Maz, Kev e Melv, dopo il lavoro al canale, sono venuti a festeggiarmi. Boz mi ha regalato un tubetto di colla per l'aeromodello.

Sabato 3 aprile

8.00. La Gran Bretagna è in guerra con l'Argentina!!! Radio Quattro ha appena dato l'annuncio. Sono sopraffatto dalla tensione. Metà di me pensa che è un fatto tragico, l'altra metà è eccitata da morire.

10.00. Ho svegliato papà per dirgli che l'Argentina ha invaso le Falkland. È saltato giù dal letto perché credeva che le Falkland fossero al largo della Scozia. Quando gli ho spiegato che erano lontane ottomila miglia è tornato subito a letto e ha ficcato la testa sotto le coperte.

16.00. Ho appena fatto l'esperienza più umiliante della mia vita. Tutto è cominciato quando mi sono messo a montare l'aeromodello. Alla fine mi sono detto, perché no, proviamo a sniffare la colla. Ho ficcato il naso nella fusoliera e ho sniffato per cinque secondi, non è successo niente di mistico ma il naso è rimasto incollato all'aeroplano! Papà mi ha portato in macchina al pronto soccorso per staccarlo, è stata veramente dura sopportare tutte le risatine e le battute ironiche.a

Il dottore del pronto soccorso ha scritto: «Sniffatore di colla» sulla mia cartella clinica.

Ho telefonato a Pandora; viene a trovarmi dopo la lezione di viola. Senza l'amore andrei fuori di testa...

Della stessa autrice

Fuori di zucca

La regina e io

Il grande io

Finito di stampare presso 🦁 Grafica Veneta
Via Malcanton, 2 – Trebaseleghe (PD)